Texto de acordo com as normas do novo acordo ortográfico da língua portuguesa (Decreto Legislativo Nº54 de 1995).

Editora – Catia Mourão
Capa – Joice Dias
Diagramação – Catia Mourão
Revisão – Halice FRS

CIP-BRASIL. CATALOGAÇÃO NA PUBLICAÇÃO
SINDICATO NACIONAL DOS EDITORES DE LIVROS, RJ

C214e

Campos, Lucinei M.
Eu odeio o Jonas / Lucinei M. Campos. - 1. ed. - Rio de Janeiro : Ler, 2022.
140 p. ; 21 cm.

ISBN 978-65-86154-46-7

1. Ficção brasileira. I. Título.

22-75393 CDD: 869.3
CDU: 82-3(81)

Meri Gleice Rodrigues de Souza - Bibliotecária - CRB-7/6439
06/01/2022 06/01/2022

Foi feito o depósito legal.
Direitos de edição:

Ler Editorial

LUCINEI M. CAMPOS
autor do Best-seller "LAVÍNIA E A ÁRVORE DOS TEMPOS"

EU ODEIO O JONAS

1ª edição
Rio de Janeiro – Brasil

SUMÁRIO

CAPÍTULO I

No Alto

Meus passos são cambaleantes e tortuosos. Talvez seja a fumaça ou mesmo a dor que carrego em meu corpo. Será que isso é realmente possível? Abro a porta de aço com quase dez centímetros de espessura, que me deixa de cara com o terraço do prédio onde estou. Olho para a minha mão direita e reparo a minha antiga cicatriz. Tão real, tão invisível, mas é minha mesmo. Caminho com as pernas quase desistindo de suportar o meu corpo até a beirada do prédio sujo e escuro.

Quase ninguém sobe até essa parte durante o dia, muito menos à noite. Fiquei sabendo, em algumas conversas de corredores, que os casais mais safados fugiam para cá nas horas do almoço para se pegarem. Depois foram os fumantes, por esta razão a escada que dá para o último andar do prédio havia sido bloqueada com cadeados e correntes, e então os casais mais levianos ficaram com os degraus apenas.

Vez ou outra, ficávamos sabendo destas aventuras. No entanto, esta não é minha intenção.

Aproximo-me da beirada sem olhar para o céu estrelado daquela noite. Não sou uma pessoa que fica admirando a natureza e as obras celestes, mas o céu está tão limpo que até mesmo a poluição da cidade não consegue esconder sua beleza. Eu não me atento a isso, apenas olho ao redor e, por último, para a avenida logo abaixo de mim, uns trinta andares. Não consigo enxergar o chão, pois há muitas pessoas caminhando com faixas, cartazes, máscaras e gritos que variam de "ordem" a "fim" de algo inaudível para mim. As pessoas caminham, outras correm, bombas são explodidas perto dali. Eu não vejo o chão.

Sabe, quem estivesse me vendo poderia pensar: é só um suicida da cidade do Rio de Janeiro. Mas não, não estou aqui para me suicidar. Muito pelo contrário, desejo matar. Pôr fim a uma grande bola de neve em minha vida — se o calor desta cidade me permitir a expressão —, que havia crescido nos últimos dias de uma forma que nem mesmo eu poderia imaginar.

O cansaço em meu rosto é evidente. Minha blusa é de manga cinza da marca Pixação, minha calça um jeans de cor azul da Dacore e sapatos da... Bem, os sapatos tinham custado vinte reais, é de uma marca que imita o All Star, uma coisa destas. Mesmo não parecendo, sou um funcionário público, destes bem caxias. Havia sido aprovado apenas há alguns anos, uns três, mais ou menos. Eu trabalho neste mesmo prédio durante o dia, em que estou agora, de pé na beirada; no alto. Um trabalho legal, fácil e vagaroso, como todos os serviços públicos são.

Claro, ficar à beira de uma queda não era o meu intuito quando entrei. O que falariam as manchetes nos jornais? Seria uma boa para o que estava ocorrendo lá embaixo agora. E para falar a verdade, saltar daqui não seria tão fácil como todos podem achar. O chão está sendo bem aproveitado, certamente iria esmagar algumas das pessoas que estão em marcha.

Oh, dúvida cruel neste momento!

Nos filmes, nos livros, é tão fácil para alguém se jogar de uma forma dramática e bonita. Mas evidente que a vida real não seria fácil, para quê? Então, fico neste embate crucial de como saltar.

A fumaça começa a surgir pela porta de onde vim. Uma fumaça enegrecida e forte. Um odor de chamas e objetos diversos, não sei descrever isso. Apenas posso sentir o mesmo cheiro em minhas roupas. Sim, eu me esqueci de mencionar, o prédio onde passo a maior parte do tempo está em chamas. E para aumentar o grau de periculosidade em que me encontro, a esta hora, as chamas bloquearam qualquer passagem que há para descer. Então, somando a probabilidade de que alguém tenha ligado para os bombeiros, e estes levam em média doze minutos para chegar aqui com um trânsito normal, eu estou literalmente ferrado.

Com a multidão e os policiais jogando bombas de efeito moral e bala de borracha, vão levar meia hora. Em meia hora estarei queimado ou intoxicado com a fumaça negra que sobe pelas minhas costas.

Mas a noite continua linda e bela. Nem sei por que estou falando dela, não costumo ficar assim. Acho que são aquelas ideias loucas de uma pessoa antes de morrer. É, acho que vou morrer. Será que a minha vida vai passar pela minha cabeça como um filme? Que filme? Ação? Ficção científica? Preto e branco? 3D? Que perguntas bobas estas.

Acho que quem está prestes a morrer não faz este tipo de pergunta. Creio que seja: vai doer? Para onde irei? Por que eu? Estas, sim, são perguntas dignas de um quase morto. Espere! Não, são estas perguntas para um suicida. Não, ninguém imagina que um suicida tenha perguntas. Se ele se matou é porque conseguiu a resposta e não gostou, ora bolas. Ou soube que nunca terá a resposta. Isso também acontece.

As pessoas quando têm notícias de um suicídio sempre enxergam as coisas que o suicida não via. "Nossa, ele tinha tanto!", "Era tão jovem!". Estas coisas... Mas pelo que estou reparando, este tipo de comentário não servirá para mim. Uma pena, estes são melhores do que os que eu tenho em mente. Mas não sobrará mente.

O vento dissipa um pouco a fumaça que chega a me engolir algumas vezes. A mãe natureza está me agradecendo por admirá-la tanto. Volto a enxergar sem que os olhos lacrimejem e ardam. Posso ver novamente a avenida cheia e movimentada mais que em qualquer hora do dia. Sem carros, somente pessoas andando e correndo e bombas explodindo, balas de borracha acertando a carne desprotegida de alguns sem camisas.

Fico de pé no parapeito. Eu me apoio em uma antena, próxima ao ar-condicionado central que nunca deu vazão durante o verão. Bem que ele poderia ser jogado primeiro. Assim, eu me sentiria bem. Não, há muitas pessoas na avenida. Não sou um homicida, por favor, tenho princípios!

Ou ao menos tinha, até esta noite. Até todos estes acontecimentos. Até aquela praga cruzar o meu caminho. Sim, como todas as histórias, a minha também tem um marco principal. Um antagonista. Um odiado.

Por que este jovem rapaz está para se jogar de um prédio, na Cidade Maravilhosa? Devem estar se perguntando, certo? Bem, há uma resposta, mas para chegar até ela, devemos primeiramente entender um nome. Ou melhor, mencioná-lo: Jonas.

Tudo começou por causa dele. Devido a ele. Eu o odeio com todo o meu coração, cérebro, braços, mãos, pernas, fígado, pâncreas, baço. Espere aí, baço? Eu nem sei para que serve um baço! Tudo bem, o meu serve para odiar o Jonas.

Sabe aquela pessoa que surge em sua vida para estragar você? Assombrar? Sabe quando dizem que o santo de uma pessoa não se dá com o de outra? Se isso fosse verdade, o meu mataria o dele. E olha que não sou um cara briguento, um destes babacas que encontramos o tempo todo. Eu sou tranquilo, ou ao menos era até alguns dias atrás, antes de me envolver com o Jonas e ele me transformar nisso, um rapaz à beira da morte programada.

Sim, porque até há alguns minutos eu tinha a opção de descer as escadas correndo e pedir ajuda, mas para impedir o Jonas, eu decidi ficar. E deu nisso. Estou aqui, prestes a saltar, contando a minha merda de vida de pouco mais de vinte e sete anos antes de partir dessa para a melhor. Se é que isso existe para mim.

Logo eu, que nem tive tempo para fazer uma daquelas viagens que anunciam na Universal Channel com pessoas falando em um português que nunca ouvi antes. Caras felizes, mulheres bonitas. E um coroa que no fim do comercial se joga na piscina de forma tosca e convencida. Nem vou poder ir ao... Não lembro o nome do cruzeiro, mas eram imagens bonitas do lugar.

Tudo por causa do Jonas. Guardem este nome, pois ele lhe dará a explicação de toda a minha vida. Sujeito ridículo, convencido e pretensioso. Os adjetivos da nossa língua são pequenos e pobres para o que ele representa. Tudo por causa dele. Acredite, há muita coisa por trás do Jonas.

Droga! O vento mudou de direção. Vem fumaça em minha cara, meu corpo todo é tomado pelo cheiro. Acho que alguém quer que eu me aprece. Devo estar tomando muito tempo. Mas, cadê a coragem quando se mais precisa?

É, estou meio em dúvida, uma crise existencial demora a ser totalmente formada, pode crer. Por mais que a minha cabeça esteja girando e a minha raiva esteja maior que de costume quanto ao Jonas, eu ainda tenho certo receio. Vai dar certo? Não quero ficar paraplégico, aleijado, ou sei lá o quê. Tem de dar certo! E vai!

Ah, que bom! O vento voltou a fazer a curva. Desta vez foi tão forte que fechou a porta de aço maciço. Menos mal. Ele não vai poder me impedir tão facilmente. Não contei? O Jonas está subindo até mim. Sim, eu só estou aqui a esta hora da noite por causa dele. Maldito seja!

Desculpe, eu não fui um bom anfitrião para o meu trágico e sinistro conto. Eu falei mais dele que de mim. Nem o meu nome foi mencionado de certa forma. Que grosseria a minha! Logo em uma história onde o que mais terá importância serão os nomes. Na verdade, três nomes específicos terão real valor: Jonas, Andressa e o meu, Renato.

É evidente que há outros nomes, pessoas que são importantes também, porém, estes são os que eu considero mais relevantes. Tirem vocês mesmos suas conclusões. Não sou muito bom com esta parte, então posso deixar passar alguém legal, ou importante também.

Uau! O tempo que passei aqui falando, até me esqueci da dor no meu corpo. É, os ferimentos não são fatais, mas estou bem machucado. Tenho de fazer um curativo. Pronto, lá vou eu novamente falando uma besteira. *Se liga, Renato*! Eu vou me atirar daqui, para que curativo? Havia me esquecido. Coisa estranha! Deve ser a lua, o tempo. Não, definitivamente é a fumaça.

O que será que está queimando lá embaixo além de toda aquela papelada?

Eu trabalho com muito papel. Papel para todos os lados dos andares. Engavetados, dobrados, amassados, impressos, limpos, brancos, amarelados, manchados com café que a secretária bonita deixou cair, queimado com a guimba de cigarro que o fumante da sessão se esqueceu de apagar, furado, babado; sim, pois sempre tem alguém que dorme por cima das pilhas de processos.

Verdade, você ficaria apavorado com o que acontece com aquelas pilhas de processos civis de pessoas contra empresas. O papel certamente é o maior transmissor de doenças de nossa era. Sorte dos europeus não terem tanto papel durante a Idade Média. Acho que seria maior que a Peste Negra, se o papel dominasse o período. O número de doenças que pode viajar por ele é absurdamente grande. A Peste Branca. Ao menos o nome seria menos ofensivo nos dias de hoje.

Agora que me apresentei, devo contar como tudo isso aconteceu. Sim, vocês sabem que me chamo Renato, tenho vinte e sete anos, trabalho em uma repartição pública que guarda e contabiliza os processos mais simples. Onde alguns deuses, quer dizer, juízes nos mandam com sua decisão final. É, vou iniciar logo porque se nada for feito com as chamas, logo chegará aqui e terei de saltar pegando fogo.

Aí já seria demais.

CAPÍTULO II

A Pedra Fundamental

Eu odeio os desenhos infantis de hoje. Não sei, mas me parece que os desenhistas ficaram com preguiça de pintar, colocar detalhes. São quadrados, redondos, sem pontos pretos nos olhos ou sem dedos. São toscos. No entanto, o mais tosco de todos é o de uma porca rosa chamada Peppa. Na boa, aquele é o ser mais medonho que já tive a possibilidade de ver. Desrespeita completamente a anatomia do animal. Juro, isso é um fato.

Por que eu digo isso? Bem, já notaram que ela tem dois olhos? Normal. Mas, já repararam também que mesmo de lado você enxerga os dois olhos dela? Sim, não importa para qual lado ela vire, sempre veremos os dois olhos dela. É por isso que a chamo de monstro, no mínimo, aquela porca tem quatro olhos! E também sofre de labirintite aguda. Na verdade, todos do desenho, pois toda vez que param pra rir eles caem desequilibrados.

Eu cursei uma faculdade particular sem muita expressão no Rio de Janeiro. Sim, fiz uma prova como qualquer outra, onde eles veem somente se você não é um analfabeto, como o que conseguiu passar na prova de admissão de uma delas alguns anos atrás. Jovens com destinos e passados diferentes seguiam suas próprias trajetórias. Eu estava ali por uma razão: tinha de concluir meus estudos em Direito para ser alguém melhor dentro da minha família.

Sempre ouvi de meu pai que deveria ser melhor do que ele foi. Por isso, sempre tive as coisas que eles não tiveram. Brinquedos, quarto próprio, bicicleta, videogame. Eu fui mais um desta geração onde os pais estragam as crianças dando tudo o que eles não tiveram ou tiveram de ralar bastante para ter. E assim cresci e com um trabalho legal consegui pagar minha faculdade particular. Sim, não optei pela pública, pois tinha condição de pagar. Nunca fui tão dedicado assim.

Na faculdade, nós aprendemos muitas coisas novas, e outras que não vimos nas séries anteriores e que deveríamos ter visto. Uma deficiência crônica no sistema educacional do Brasil. O aluno aqui deve ficar apto somente nos cálculos e escrever o próprio nome.

Para que ter um cidadão quando pode ter apenas um operário? É tão certo este sistema que remonta suas origens no Estado Novo. Resquícios de um passado ditatorial que não lembramos e permitimos ser perpetuado. Exemplos disso são as disciplinas de Moral e Cívica, e Ética, que foram retirados da grade escolar. Ou os tempos de ensino da História que são diminuídos sempre que podem. Antes eram quatro tempos de cinquenta minutos, hoje são dois, e olhe lá!

Não vou falar das minhas deficiências de ensino, sim, da faculdade. Sim, a faculdade que começou tudo. Como havia dito anteriormente, foi na faculdade que o conheci. O dia eu lembro muito bem. Terça-feira, com sol queimando nossas cabeças, enquanto conversávamos no pátio. Os bancos ficavam ao redor de uma grande árvore, próximos à secretaria. Os alunos utilizavam o espaço para conversar, paquerar, ler e somente passar.

Eu não tinha o costume de ficar conversando com as pessoas, era muito na minha. Usava o tempo mesmo para ler ou ficar bisbilhotando a vida dos outros. As pessoas nos revelam mais em um andar que em palavras, é interessante. Sempre fui assim. Pois bem, mas foi neste meu jeito de ficar observando os outros que fui convidado, pelo alto som da conversa, a olhar para um casal em atrito verbal, digamos assim.

— Você é um idiota, sabia? — A voz da menina enraivecida foi a primeira a ser ouvida.

— Não me encha mais com isso. Sabe de uma coisa? Fale sozinha.

O tal Jonas respondeu e se virou.

Sim, esse aí é o Jonas. Tem 1,83 de altura, branco, cabelos cacheados, olhos castanhos, peso médio. Usava Blusa sem marca, azul, calça da... Nem sei que marca era aquela. E sandálias. Ele não é muito fã de caprichar no visual. Foi neste momento que o vi pela primeira. Dando um fora na garota que gritava e xingava o seu nome com vários movimentos nas mãos.

Aquela é a Andressa. Garota inteligente, nem sei por que foi se aproximar do Jonas. Ela é bem mais branca que ele. Cabelos até os ombros com suas pontas cacheadas. Olhos escuros e se veste como uma artista de rua.

Sim, Andressa sempre curtiu artes, seu curso era de Arte, ela desenhava e pintava desde quatorze anos de idade. Uma jovem muito bonita, mas com uma mente bem mais bela do que os olhos podem ver. Era determinada. E ao mesmo tempo louca.

Certa vez decidiu que seria ambidestra. Sabe, escrever com as duas mãos. Ela conseguiu em parte, chegou a desenhar e pintar com ambas as mãos. Certo dia, em uma apresentação de dança de sua escola primária, decidiu experimentar dançar Funk. Ela também conseguiu.

Doidinha, não acha? Talvez, mas só tire suas conclusões depois que a conhecerem melhor. Por ora, vamos deixar a Andressa para depois.

Jonas saiu e deixou a bela menina, de saia longa e toda customizada, falando com o vento. Aquilo foi demais para ela. Sem pensar duas vezes, levou a mão para a pedra mais próxima que tinha avistado e a lançou contra ele. Mais uma vez, Andressa foi ótima no que tentou fazer. Acertou em cheio a nuca do Jonas. Um som meio oco, abafado, foi ouvido. A dor foi grande, pois eu senti em mim. Ele catou os passos tortos mais a frente antes de se equilibrar e colocou a mão na cabeça, buscando o sangue.

Devia ter arranhado apenas, pois um risco havia surgido em seu dedo. Enquanto em sua mente, todos os palavrões possíveis foram pensados.

Não houve uma briga depois disso. Andressa não ficou para ver a reação. Saiu em passos largos e bufando pelos corredores até sua sala. Nenhum funcionário da faculdade interveio para saber o que houve. Imagina, um processo sobre a briga de dois universitários não seria bom para o ano que estavam tendo. E nem mesmo o Jonas fez questão. Ele seguiu o caminho oposto, que dava para a rua e sumiu. Esta foi a pedra fundamental de tudo. O início. O maldito início.

Eu segui o Jonas na sequência. Seria estranho ir atrás da menina, pois como havia julgado na hora, era a namorada dele, ou ex. E ficaria megaestranho sair atrás dela sem que me conhecesse. Então, devido à pedrada, eu fui até ele. Quando saí da faculdade, eu o vi caminhando rápido até a calçada oposta. Chegou até uma mesa do restaurante com vários outros caras, onde foi bem recebido e ali ficou levando a mão à cabeça a todo o momento. Para que não me percebesse, eu fiquei na mesa ao lado.

Era dia, não havia tantos clientes. Pedi um salgado, bebi uma Coca-Cola, daquelas que vem o preço sugerido na garrafa e o vendedor cobra três vezes mais. E fiquei ali. O assunto foi a ex-namorada, sim, ele contou de tudo: como estavam, como ela era um porre e como ela era diferente, e que suas vidas não tinham a ver. A conversa era tosca e ridícula. Um misto de soberba jovem, com burrice encubada.

Foi medonho conhecê-lo. Em poucos minutos percebi que a pedra havia sido mais do que merecida. Pelo que ouvia, principalmente das coisas que ele fazia com ela, deveria ter sido um banco, daqueles de pedras. A menina tinha sido bondosa.

Pouco tempo depois eu saí de lá. Ainda tinha aula para assistir, então paguei a conta, comprei umas pastilhas de hortelã e voltei para a faculdade que estava como antes: normal e sem novidades. Quando entrei na sala onde o professor já estava falando percebi que, logo depois de mim, entrou um dos caras que estava com Jonas. Ele passou, sentou mais atrás e me olhou com um olhar risonho. Agachou ao lado da minha mesa e perguntou baixinho, já que o professor odiava ser interrompido:

— Vai voltar ao bar depois da aula?

Fiquei perplexo. Eu, definitivamente, sou um péssimo espião.

Não respondi, apenas deixei escapar um sorriso tímido e continuei a prestar atenção na aula. O que foi difícil, já que o sujeito estava bem atrás de mim. Parecia me inspecionar, esperar algo de mim. Com o passar de alguns minutos, eu me retirei da sala com o professor ainda falando. Ele não gostou e me encarou enquanto caminhava para a porta ao lado de sua mesa.

Deve ter dito algo engraçado, já que ouvi uns risos quando ainda estava no corredor. Pouco me importei. Na verdade, nunca gostei deste modelo europeu de aula. Uma pessoa, de pé na frente de todos nós dizendo o que é certo. Como assim?

Alguns alunos ali já viveram mais experiências que ele. Exceto por número de ex-mulheres, já que um dos assuntos mais citados por ele em sala de aula era esse.

Certa vez nos falou da sua primeira ex-mulher. Lembro-me até hoje. Morena, cabelos longos, olhos castanhos e corpo de frequentadora de academia. Segundo ele, ela era bem mais jovem. Ela o largou depois que ele foi descoberto com outra. Sei, para todos os fins de casamento dele, sempre uma fugida dele era descoberta. Como se fosse fisicamente possível ele ter tanta disposição assim. Velho, acabado, quando fala fica aquela gosma branca no canto da boca. Ele causa asco.

Fui direto para a escada, desci alguns lances até me ver na praça novamente. Sentei em um dos bancos e fiquei pensando. A aula não era tão importante, o professor era um saco. Observei a minha volta, vi alguns casais de mãos dadas, amigos, funcionários. Não me lembrava de como era isso, ter alguém próximo, íntimo. Tinha tanto tempo sem alguém que havia esquecido.

É, apesar de jovem, eu já vivia sozinho. Saí de casa ainda novo. Sem brigas, eu não esperei tanto. Como já fazia estágio desde os dezesseis anos, sempre juntei uma graninha. Então, quando completei os meus dezoito anos, fui morar com uns amigos em um apartamento de três andares na Cidade Velha, centro do Rio. Não deu muito certo. O que eles esperavam por morar só era uma vida tipo *American Pie*. E por algum tempo foi isso que rolou com eles.

Éramos quatro no total. E sempre que podiam, faziam festas. Logo, as contas foram acumulando. Cada noite uma menina diferente era encontrada deitada no que seria a minha cama, ao lado da TV. Eles eram irresponsáveis, sem maturidade. Eu tinha de acabar com isso. Então, como era o mais sóbrio do local, fui deixando que tudo acumulasse; não lembrava, não avisava. Até que um dia cortaram a energia do apartamento. Depois, faltou comida. Eles não tiveram outra escolha a não ser saírem de lá. Voltaram para a casa da mamãe.

Como eu era mais equilibrado e já tinha guardado o dinheiro para estas dívidas, comprei o direito deles. Assim, os três saíram sem reclamar me cedendo o contrato do aluguel. Eu virei o proprietário. Não tinha mais ninguém transando durante o dia. Usando o chuveiro. Sujando a louça que não fosse eu. E sem bater boca, consegui fazer a minha vontade.

Com isso, logo os vizinhos que antes reclamavam da nossa conturbada vida diurna e noturna, passaram a não reclamar mais. Os vizinhos não tinham o que reclamar de mim, a partir dali era eu que tinha o que reclamar deles. Quase todo dia varria as guimbas de cigarro que alguns jogavam na minha varanda. Como eu detestava isso!

Estou sozinho até hoje.

Sentado ali, naquele banco de pedra com o calor ainda fazendo seus efeitos nocivos, fiquei pensando na vida daquelas pessoas. Jovens, muitos nem sabiam o que era ter responsabilidade. Um misto de filhos de papai e mamãe que estão cursando algo para serem diferentes. Poucos eram movidos por uma paixão, por algo que desejavam desde pequenos. Não, a juventude seguia o curso da moda. Um dia Marketing, outro dia Enfermagem. Mudavam sempre quando saturavam o mercado. Nem dava tempo de falar qual era o novo, pois já podia ter mudado.

E eu fiquei ali, vendo e pensando naquilo tudo.

O tempo é lento quando temos pressa. Isso é um fato.

A sombra chegou a tomar totalmente o local. Eu vi a menina sair sozinha, com a cara de quem ainda poderia tacar um bloco de cimento no Jonas. Foi embora com seus cadernos e pastas de desenhos. Não tive vontade de ir falar com ela. Mas sabia, que de alguma forma, eu chegaria a ela. Entretanto, não deveria ser naquela hora, no início. Levou somente mais alguns minutos para ver Jonas passar depressa por mim.

Eu não sabia qual o que cursava, mas a visão dele indo embora me fez lembrar de que a minha aula já devia ter terminado. O que não faria falta para mim. O professor e suas ex não voltariam na próxima semana. Eu apenas fui embora. Segui meu trajeto solitário.

E foi assim que conheci o Jonas. Desde o início já não gostei dele. E não tinha ideia de que aquele sentimento cresceria, pioraria a cada dia em que ele pisasse em meu caminho. E assim foi.

Podem pensar que estou sendo apenas um pouco implicante, eu sei. Mas, com o tempo, verão o quanto ele é horrível!

CAPÍTULO III

Maravilhosa

Atualmente moro em uma das cidades mais famosas do mundo, o Rio de Janeiro. Conhecida mundialmente por suas belezas naturais e construídas pelo homem. Lugar quente, de lindas mulheres, povo amistoso e simpático. Uma raça mestiça, sem o ódio do outro lado do oceano. Ao menos é assim que vendemos a nossa imagem. A cidade é por si só um belo exemplo da segregação nacional e a geografia já ajuda suas separações culturais.

O crescimento, como em qualquer outra cidade do mundo, foi bastante regional. Aqui há os bairros nobres, subúrbios e as favelas. Devo arriscar dizer que o Rio de Janeiro, em minha opinião, é uma grande favela, e seus bairros de luxo são os condomínios fechados. Pois bem, não é o fato desta minha cidade ser assim que vai ajudar a entender toda a história. O calor infernal que ela faz talvez, mas nem tanto.

Eu moro próximo ao centro do Rio, o que faz a minha viagem para o trabalho ser bem rápida. O prédio onde trabalho o meu lindo ofício público como qualquer outro funcionário desta tão nobre classe fica em uma rua larga — uma avenida, para ser mais exato —, onde milhares de carros e pessoas passam por dia. Na verdade, não tantos carros assim, já que com as obras de hoje em dia fica cada vez mais difícil usar um veículo particular.

Sim, como falei há pouco, o Rio de Janeiro é a cidade da desigualdade e também da ausência de lógica. Acredito que do país todo. Pensa comigo: nos últimos meses o governo federal libera subsídios para o trabalhador, este sendo o que ganha bem, muito bem mesmo, comprar seu carro. E os governos querem incentivá-los a andar de transporte público. Tem alguma lógica isso?

Ah, sim, o governador e outros dos nossos políticos usam carros importados, quando não estão voando com um jatinho ou helicóptero de algum empresário que ajudou em sua campanha e para isso tiveram certos direitos para com os contratos disponíveis em seu governo.

Gasto pouco menos de uma hora para o trabalho, o que na verdade deveria ser bem menos, pelo fato de morar próximo ao trabalho, a ponto de poder ir caminhando; se não fosse tão perigoso, mas é o Rio.

Eu sou um típico carioca, daqueles que nunca foi em quase nenhum cartão postal da cidade. Não sabe sambar, não curte a noite e nem Pagode. E óbvio que não vou esquecer, não suporto o funk carioca. Dizem que é cultura, mas desta eu fujo a todo custo.

Quando saio com os colegas de trabalho, as festas da empresa, eu vejo as mulheres que antes, no seu dia a dia, andam com aquelas roupas de senhoras religiosas e que nunca pensam em fazer sexo, irem até o chão de forma tão ávida que me assusto. Não devia, mas isso atiça qualquer homem, ver uma mulher fazendo movimentos sexuais.

Ainda mais com as letras, algumas são de uma poesia tão profunda, chegam a me emocionar. É sempre a mesma batida feita com a boca para umas palavras onde a fonética repetitiva serve para os seus ouvintes dançarem. Eu acho que a maioria, senão todos os funkeiros, não sabe tocar um instrumento que não seja a boca ou por algum programado computador. E sempre é coisa uma só.

Toda vez que vejo um grupo de jovens dançando ao som desta batida, vejo uma semelhança tão grande com as tribos primitivas do Velho Continente. É algo tão do instinto que nem sei explicar. As mensagens nas letras estão descaradamente ligadas ao sexo, drogas ou violência em sua maioria. E nem é como antes, onde o compositor tinha que falar de certas coisas com metáforas.

Nem sei se eles sabem o que são metáforas. Perdi tanto tempo para entender a música "Metal Contra As Nuvens", da Legião Urbana, e me vem um MC destes e destrói a capacidade criativa do ser humano.

E para completar sobre esta cidade, devo falar dos seus habitantes. Sim, porque eles são o que mais temos de bom. Esta, pelo menos, é a imagem que vendemos a nós mesmos desta vez. Claro, temos muitas qualidades.

Não sei se é em todo o mundo, mas aqui, no Brasil, principalmente no Rio, tudo é motivo para beber. Nem é frio e as pessoas bebem igual ou mais que na Rússia, onde bebem vodca para se aquecerem. Aqui, bebem para comemorar, de luto, de ansiedade, por calor, pela vitória do time, pela derrota do time; por ter algum time ou pela derrota do outro time. É tão forte a bebida aqui que não teria cevada suficiente para o público, daí então, para baratear, a dita começou a ser feita com milho transgênico.

O brasileiro não se incomoda com isso. Não que sejamos todos nós pessoas desmioladas ou más, mas é um detalhe que toda sociedade deixa para trás.

Um exemplo deste tipo de detalhe? A própria comida nos mostra isso. Todos os dias comemos algum animal, e quase todos os dias temos contato com animais domésticos, caseiros, que cuidamos como se fossem um membro da família. O que separa um cão de um porco? Por que um eu posso comer e o outro não? Eu já me peguei pensando nesta ideia e por incrível que pareça, eu não tenho uma resposta muito válida. E nem tenho muito que pensar sobre isso, faço parte da coisa toda.

São estas coisas que nos fazem viver. Uma sociedade tão imperfeita, hipócrita como deve ser. Pregamos a imagem, não que ela seja a verdade, mas é o que gostaríamos que vissem. É como a nossa personalidade, a que o outro enxerga e a que realmente temos. Isso se aplica na sociedade também.

Eu passo grande parte da minha vida observando e criando respostas em minha cabeça, mas nunca fui de pôr em prática. Eu nunca fui de ser o centro das atenções, desde criança. Não é que eu seja tímido, mas tudo o que penso e desejo, tranco dentro de mim. Quando criança, vivia vendo filmes e quase não saía de casa.

Sabem aquelas lembranças opacas, ou meio beges, que não sabemos quantos anos nós tínhamos e nem qual era o contexto? Minha infância é mais ou menos assim. Lembro-me de flashes e algumas coisas importantes, como um acidente onde cortei a perna e quando machuquei a minha mão direita, um corte bem no pulso.

Nunca fui uma criança sociável, sempre fiquei na minha. Isso até a adolescência, onde comecei a conhecer mais lugares e pessoas. E cada vez mais eu ficava longe delas. Até que entrei na faculdade e tive de aumentar o meu leque de conhecidos. Claro, eu tenho amigos mais próximos, sim. São três e fazem curso comigo até hoje: a Rô, o Val e o Diego. Na verdade, mesmo eles são os meus únicos amigos. Nós nos vemos todo sábado pela manhã, no curso.

A grande Cidade Maravilhosa, palco do meu ódio por Jonas, da minha vida de merda!

Não sou um miserável, nem estou com uma doença em fase terminal, mas quando paro para pensar na minha vida, percebo que sou um grande, absoluto e honrado, com louvor e glória, merda nenhuma. Sou mais um da geração de filhos criados pela TV. Parte da minha educação eu devo aos meus pais, outra à escola, ao grupo de amigos, e a uma grande influenciadora que nunca me deixou... A televisão.

Eu já não sei se a TV segue o que a sociedade vive ou se é o contrário. Vivemos em uma era de novidades para as velhas gerações e o normal para as novas. Eu percebi há pouco tempo que pertenço à velha geração. Eu assisti *Lagoa Azul* quando era inédito. Eu vi *Jurassic Park, Os Trapalhões*.

Sim, por mais que ainda não tenha entrado fisicamente na etapa da vida onde possa me chamar de velho, eu já não pertenço a esta geração. E a nova vem vindo com toda força da tecnologia. Palavras novas para velhos problemas vêm surgindo. Um bando de filhos da tecnologia. Em minha opinião, um bando de alienados da informação.

Eu pude reparar isso com a vinda do novo Papa ao Brasil. Milhares de pessoas próximas a ele com seus celulares filmando e fotografando, quando ele estava estendendo a mão e perderam a oportunidade de tocar nele, afinal de contas, o Papa é Pop. E não sou cristão, deixando claro.

Agora que estão um pouco familiarizados com a minha cidade, posso dar continuidade para a minha vida, já que o fogo às minhas costas está aumentando. Lembram? Estou em um prédio em chamas contando isso tudo. Então, voltemos ao que importa.

Sendo mais um filho de uma geração perdida, sim, pois a anterior dizia que os seus heróis morreram de overdose, quando cheguei já não tinha mais nada. Fico a pensar o que sobrou para esta que adentra os portões. E eu que pensei que estava ferrado para mim. A famosa geração do "vou dar tudo o que eu não tive para o meu filho". Da gravidez na adolescência e do desaparecimento das palavras educação e ética nas escolas. Eu não sou um puritano, mas é fato de que tenho o mínimo necessário para perceber como caminha a nossa sociedade.

O Brasil é um país onde impera a corrupção, todos têm esta ciência, mas, o que fazer?

Ninguém vai às ruas para lutar pelo fim disso, ao menos não iam até pouco tempo. Muito pelo contrário, o que desejamos inúmeras vezes é ter nascido em um berço rico. Ter um parente político, um amigo ou ganhe na Mega-Sena da virada. Somos corruptos desde a nossa origem, quando os índios recebiam as bugigangas dos portugueses. Quando era retirado o Quinto do Ouro colonial e outros esquemas.

Quem nunca preferiu *morrer* em um dinheiro para uma blitz do que pagar a multa por infringir as leis de trânsito? Quem nunca deu um jeitinho em algo errado? Somos corruptos por natureza, e passamos isso a todo instante para frente. Uma máquina de pessoas, mentes tortuosas com seus valores mesquinhos. De fato o Brasil é único. Aqui temos neonazistas negros, homofóbicos gays e por aí vai. Mal sabemos reconhecer o que é público do privado, o que nossos amigos gregos sabiam bem e queremos discutir sobre política.

Esta cidade é realmente maravilhosa. O Jonas deve adorar viver aqui.

Eu não sei, mas desconfio que ele seja do tipo da noite, das baladas, saiba sambar e curtir um Pagode. Resumindo, ser totalmente meu oposto. Pelo que ouvia nos cantos da nossa grande sala, ele é *o cara*. Com aquele seu jeito convencido e arrogante de sempre, um olhar que ignorava todos ao seu redor. Com seus passos leves, como se caminhasse sobre as nuvens e nós, meros mortais, devêssemos lhe render adoração.

Odioso Jonas!

Creio que há pessoas em nosso emprego que o odeiam tanto quanto eu. Eles apenas não falam, aliás, nem eu falo. Guardo tudo para mim e com os meus três únicos amigos; Rô, Val e o Diego. Eles conseguem me entender direitinho. O pessoal do trabalho é apenas colega. Sim, eu os vejo assim. Mesmo que sempre me convidem para alguma festa, eventos da empresa, eu os vejo como colegas. Posso chorar ao lado deles sobre a morte de um ente querido e eles farão seus votos e desejos de melhoras oferecendo suas ajudas que jamais verei. E assim manteremos o contrato imaterial de que somos amigos.

Eu deixo que eles acreditem nisso, pois eu não. Já tenho de aturar a cara feia do meu chefe todos os dias. Parece que estou sempre devendo algo de que não faço ideia. Um homem da meia-idade, com uma roupa que fede a naftalina. A mulher dele não deve ligar mais para sua aparência, pois vem com as roupas surradas, parece que ele mesmo, ou um grupo de viciados em crack, preparou esse visual.

Enquanto eu tenho colegas de trabalho, o Jonas — que de uma forma muito surpreendente veio trabalhar junto comigo —, é o adorado por todos. Por onde ando, piso ou apareço, as pessoas estão falando dele. Principalmente nas segundas, pois o fim de semana rende com a presença dele. Ele frequenta quase todas as festas de todos os meus colegas de trabalho.

Se eu vou ao banheiro, ouço Jonas. Se eu for à área dos fumantes para pegar um pouco de ar, ouço Jonas. Se vou para o elevador ou tomar café, comprar um lanche ou atender um telefone, adivinhem... Ouço o Jonas. Não posso nem cagar em paz que ouço falarem dele no boxe ao lado.

Sei, é estranho. Ouço de tudo sobre o Jonas. Algumas colegas de trabalho são apaixonadas por ele, isso já ouvi. Ele mesmo quase não fala nada. Vai para casa, sorri para todos e quase sempre é o último a sair da repartição. Na verdade, raramente o vi saindo junto com todos. Deve ficar até mais tarde para bajular o chefe. Na faculdade vivia cercado por amigos, garotas, até resolver namorar a Andressa. O que não durou muito.

Tenho minhas dúvidas de que o seu namoro com ela tenha sido apenas uma aposta. Só desconfio, nunca contei para alguém na faculdade, não, este tipo de coisa só converso com os meus três únicos amigos. Mas logo falo da Andressa, ainda não é hora.

Resumindo, tudo que o Jonas faz se torna o centro das atenções. A cidade é dele, não minha. Ele frequenta a Lapa, Copacabana, Recreio, Flamengo, Botafogo, em todos os lugares ele tem conhecidos. Um oposto tão próximo de mim que me imagino explodindo a qualquer momento do dia quente da Cidade Maravilhosa.

Às vezes me pego imaginando jogá-lo por uma das janelas. Até sei como seria a cena. O vidro da janela antiga, como o prédio, sendo arrebentado por um corpo médio de rosto convencido voando pelos ares. Sua camisa polo sendo rasgada pelos estilhaços de vidros, sua calça Levi's, que o valor deve ser maior que o meu salário, manchada pelo sangue ao tocar o chão. E seu All Star preto voando para longe de seu dono. Os colegas de trabalho, todos com as mãos à boca, sem entender a tamanha violência, e eu... Bem, com um leve sorriso de satisfação enquanto os seguranças me levam para fora. Tenho pena de quem estivesse na calçada na hora da queda.

Minha mente me prega peças, ou eu a ela.

Bem, o Jonas como sempre, está me esgueirando em tudo que faço. Uma maldição, uma praga que me atormenta mesmo não fazendo nada diretamente contra mim. Eu o culpo por tudo. Seria exagero se o culpasse pela situação econômica e política do Brasil? É, acho que sim. A passagem de ônibus sofrendo mais um aumento de poucos centavos, a roubalheira de todos os lados e mais impostos para tudo.

Somos o país com maior concentração de água doce a nível mundial e com as tarifas mais caras do mundo nos serviços hídricos. Como posso entender isso?

Olha o grau da coisa, estou falando da cidade, do Jonas e estas questões me atormentam. Não sei se acho isso um porre ou agradeço por ter uma mente cidadã. Não sou como a maioria que vai apenas girando. Eu tenho meus medos escondidos do nosso futuro, mas por outro lado dar-se a tapa é muito pesado. Muitos levantam bandeiras, sacrificar-se é outro esquema.

O Brasil nunca foi muito bom em ter heróis. Nós os fabricamos, assim como suas histórias. Duque de Caxias, Zumbi, D. Pedro I, todos eles forjados. Nem em quadrinhos somos muito bons nisso. Já parou para pensar que nós adoramos os nomes estrangeiros, quando na verdade são iguais aos nossos?

Exemplo, Tony Stark, o famoso Homem de Ferro, é nada mais que Antônio, o seu primeiro nome. Mas algum brasileiro iria curtir um herói com um nome tão simples assim? Não, queremos nos espelhar e desejar ser uma pessoa diferente de nós. Isso se reflete até na política, quando o candidato que tem umas propostas legais não tem chance por ser fisicamente igual à maioria. Ninguém quer um representante com cara de pobre.

Outro exemplo que temos é o Capitão América, Rogers, que é Rogério. Já imaginou um nome deste para herói? Fora que todos eles usam as cores de seus países, se colocarmos um verde e amarelo aqui seremos vítimas de piada. Já parou para imaginar um homem aranha saltando pelos prédios do Rio? Coitado dele se em um de seus lançamentos de teias viesse um ar-condicionado, ele estaria respondendo a um processo até hoje.

Nós não temos os *Vingadores*, não temos heróis com as cores do Brasil. As cores são até bonitas, mas creio que não temos o orgulho para tal. Na verdade, creio que nem fazemos por onde ter. As pessoas colocam nomes estrangeiros em seus filhos. Exceto quando é alguém com dinheiro. Nossa, quantos Neymares surgirão? Estes, sim, são os heróis nacionais. Jogadores de futebol! O que esperar de uma sociedade assim?

Como somos estranhos! Mas creio que alguns de nossos erros não são algo especificamente do carioca ou brasileiro, é do ser humano. Como aquela espiadinha no acidente da pista ao lado que faz as duas faixas pararem. Você quer olhar só para ver o corpo estirado no chão. O sadismo humano ou aquele egoísmo de poder pensar: ainda bem que não fui eu. Vai saber.

Esta é a Cidade Maravilhosa, com pessoas maravilhosamente estranhas.

CAPÍTULO IV

Todo Trabalho é Chato

Como já falei anteriormente, eu sou funcionário público. Passei depois de estudar bastante para o concurso do Tribunal de Justiça. Não é nada exorbitante, pois fico responsável pela guarda dos casos mais simples, da Defensoria Pública. Nem é da minha área mesmo. Quero dizer, eu estudo Direito, mas isso é pelo dinheiro mesmo, pois o que gostaria de fazer é ter o meu próprio negócio.

Na verdade, eu fujo a muito tempo de ter de dar explicações para os outros. Tem hora que é um porre. Se você acha o seu trabalho chato, bom, deve conhecer o meu. Mas aí deve vir a pergunta: o que isso tem a ver com o fogo no prédio?

Relaxem, por mais que eu não curta fazer meu trabalho tão tedioso, com folhas e escritos que quase não leio, eu não quis incendiar o prédio por esta razão. No entanto, confesso que já imaginei várias vezes uma explosão causada inicialmente embaixo da mesa do meu chefe, jogando uma labareda de fogo e detritos nos demais.

É, seria uma visão linda de fora do prédio. E eu estava imaginando isso em um dia chuvoso de sexta-feira. No dia 7 de junho, treze dias antes de vir parar em um prédio em chamas.

Uma coisa interessante é que, quando não chove no Rio, as pessoas vivem postando frases sobre o calor nas redes sociais, reclamando de tudo. Entretanto, basta cair a temperatura para que as pessoas já sintam falta das portas do inferno abertas.

E neste dia estava eu parando em meus pensamentos, com a cabeça encostada na janela, olhando as gotas que batiam no vidro fazerem aquele rastro de sujeira de dias contido. Meus pensamentos estão longe. Estava, na verdade, pensando sobre mim, na minha vida e em tudo que sobrou.

Realmente somos pequenos quando confrontados com as imensidões de perguntas. Não sei você, mas por ser calado em maior parte do tempo, neste mesmo tempo fico fazendo perguntas. Tem aquelas óbvias... Quem somos? Para onde vamos? E as mais simples, como: o que comi ontem à noite?

Eu particularmente gosto de dias chuvosos e frios. As pessoas se vestem melhor e eu posso evitá-las a todo instante. Basta você reparar em seu emprego que, quando chove, aquelas roupas com cheiro de naftalina, escondidas nos armários, começam a surgir. As pessoas finalmente podem usar as roupas "cara, de frio!". Metade do armário sendo para o frio, e frio mesmo aqui não fica um mês. Burrice? Isso não sei, mas ocorre há muito tempo.

No século XVIII, com os portugueses vindo para o Brasil, os portos eram a maior concentração de bizarrices trazidas por eles. Roupas para um inverno londrino, até botas de esquiar. Eles sabiam que era quente, mas ficar para trás na última moda do continente civilizado era o fim. Talvez seja isso que ocorra também. São óculos, roupas, sapatos, marcas e mais marcas. Óculos da marca Diesel, Guess, Louis Vuitton, Gucci, Prada, Ray Ban sendo usados até mesmo em dias chuvosos. Acompanhados dos tênis Adidas, Nike, Olympikus, Reebok, All Star, Asics, Fila. Todos com a mesma função, porém, o que determina sua força são as marcas.

O homem de hoje não é mais o que produz, sim, o que consome. Os clipes e os programas de TV lançam a moda, as marcas onde nós, pessoas criadas pela mesma TV, geração de órfãos de heróis, nos baseamos na imagem como formação. E isso nem é somente dos mais jovens, há outros já infectados, que trabalham para manter sua imagem, e os que trabalham com a própria imagem. Bonecas e bonecos de uma indústria que cresce cada vez mais em lugares pobres como o Brasil.

Sim, o governo conseguiu eliminar a miséria, mas a miséria educacional não. Ainda vamos viver na periferia dos produtos de outros países. Claro, de fora sempre é melhor. Música, filmes e roupas. Perfumes que têm suas essências retiradas das nossas florestas; Chanel Chance, Angel, Dolce & Gabbana.

O ser humano passou anos de sua trajetória na Terra reconhecendo o outro pelo cheiro e agora criam novos. Acho que no fim, todos querem mesmo se ignorar o tempo todo. Seja com roupas que não são úteis, mas bonitas. Escondendo, mascarando quem nós somos. Cabelos alisados na vanguarda da moda. Corpos magricelos de modelos estranhas. Roupas que não veremos nem em filmes futurísticos nos são mostrados como "tendência". Tendência a quê? Só pode ser ao suicídio.

Aqui no Rio vemos mais pele que roupas, em alguns lugares. A moda pega em comportamento e em coisas ligadas ao corpo. Eu lembro que no meu tempo, ter um aparelho corretivo dentário era algo chato e raro, pois o preço era absurdamente alto. Hoje em dia é vendido em camelôs, e os adolescentes compram como se fossem balas. De cores diferentes, óculos sem grau, enquanto na minha adolescência eu praguejava a todos por ter de usar óculos.

Ah, sim, eu uso óculos! Não contei no início porque a minha armação caiu em cima da mesa onde o fogo iniciou a lamber tudo. Confesso que olhar para os pontinhos no céu e lá embaixo me deixam um pouco tonto. Vai ver é por isso que estou achando a lua e o céu esta noite muito bonitos.

No entanto, na tarde de sexta-feira, quando estava com a cabeça encostada na janela com o vidro sujo e manchado graças à chuva, eu pude perceber o quanto eu era um subproduto. Não foi uma depressão funcional quando olhamos para nossa vida e percebemos que aquele astronauta, paleontólogo, médico, tornou-se um carregador de papel. É o pior sentimento que alguém pode ter. E naquela tarde estava passando isso pela minha cabeça.

Na verdade, a minha cabeça produz e passa muitas coisas. O tempo todo trabalhando. E foi justamente em um momento de trabalho, meio inútil, que ouvi os comentários.

— Será que o Jonas vai neste fim de semana? — Um rapaz, de blusa social, calça social e óculos, perguntou.

— Ele tem de ir! — outro gordinho, de cabelos espetados, respondeu com tanto entusiasmo que estendeu a mão para bater na minha.

Eu reagi de impulso e bati. Os dois seguiram rindo para o banheiro. Mais uma vez, uma festinha de fim de semana onde o Jonas será a grande atração. Novidade! Já posso imaginar como será a segunda-feira. Todos contando o que este idiota fez ou deixou de fazer.

O mais interessante é que nem falo com estes idiotas que rondam pela minha mesa, mas quando o assunto é Jonas, todos viram grandes amigos. Já ouvi dizer até que o Jonas conseguiu apaziguar uma briga na casa de um colega de trabalho. Que juntou um casal que está com o casamento marcado para daqui a três meses e fez uma reconciliação de pai e filho do rapaz da xerox.

O que ele faz mais? Joga búzios? Vê o futuro?

A sexta poderia terminar bem, mas como em todo e qualquer trabalho, aquela chance mínima de algo dar errado foi bem aproveitada. A Lei de Murphy em minha vida sempre foi uma muito participativa e atuante. Já consegui pegar três vezes o ônibus errado indo para um lugar desconhecido, e pior, no mesmo dia. Já fui escalado para trabalhar no dia do casamento de um colega no qual eu seria o padrinho.

Certa vez, buscando o meu emprego quando mais jovem, fui a uma agência com um colega e quando chegamos, fui gentil e deixei que fosse na minha frente. Ele entrou na sala, demorou e saiu. Quando eu entraria, a senhora nada simpática me disse que ele havia pegado a última vaga. Eu sorri, só isso. Fiquei morrendo por dentro, mas nem tanto... Ele foi trabalhar no McDonald's, ganhando R$ 7,73 a hora.

Para quem não conhece, posso comparar ao alistamento militar. Se você não serviu ao Exército, como eu, basta trabalhar nesta rede de lanchonetes. Aqui no Brasil a mão de obra que utiliza ganha bem pouco se comparado a dos Estados Unidos. Mas a culpa nem é do palhaço, mas do nosso governo. E, afinal de contas, todo trabalho é chato.

Eu vejo nas redes sociais as pessoas dizendo que sentem falta do trabalho, quando estão de férias. Sou o único que não sente? De nada? Nem das pessoas, nem da minha mesa pequena atolada de papel, nem da cadeira que se girar quebra, nem da falta de copos plásticos ao lado do filtro que está sempre acabando a água e do café com gosto de ferro que é servido toda manhã e fim de tarde.

E não posso me esquecer das piadas de algum colega metido a comediante nem da cara do meu chefe, um senhor que nasceu chato. Deve ter sido a maior tristeza dos seus pais. Sabe aquela sina de odiar o seu chefe que Karl Marx tanto defendeu? Eu segui isso perfeitamente. Não é que o meu santo não bateu com o dele. Bateu e quer bater muito mais ainda.

Naquela sexta-feira o meu chefe estava andando de um lado para o outro. Com a calça quase tapando o umbigo, um "centropeito". Aquela cara de cotonete envernizado que ele tem. Não fui de falar muito com ele, apenas um cumprimento rápido quando me apresentei e um "bom dia" nos encontros na cantina. Ele também não gosta de mim, deve saber que é recíproco. Mas não perco o meu tempo com ele, tenho um idiota pior para odiar. O Jonas, o câncer que tomou conta deste lugar.

Em menos de um mês da sua chegada ele já se transformou no queridinho do local. Não pensem que tenho ciúmes dele, não é isso. Mas ele é aquele tipo de gente que toma tudo o que é dos outros, começando pelas pessoas. Ele é o centro das atenções, o foco, as pessoas parecem se sentir bem quando ele está presente. Todos conhecem o cara das festas e das piadas. Popular e solícito.

Quando os dois babacas passaram para o banheiro, resolvi sair do estado em que estava. Peguei uma das balas de hortelã que sempre levo, abri minha página pessoal no Facebook e fiquei vendo as novidades fúteis das mensagens. Algumas piadas conhecidas, vídeos engraçados, campanhas de doações e correntes bestas. Entretanto, o que mais me chama a atenção são as fotos que as pessoas postam. São bonitas, perfeitas e as meninas sempre estão fazendo um bico quando não saem em uma fila erguendo a bunda.

Somos tão primitivos ainda. O instinto nos domina, mas negamo-lo por achar que não faz parte de nós. Interrompendo as minhas questões, eu vi a cena que me deixou completamente aturdido naquela sexta-feira. O meu chefe, papeando com o Jonas, não era aquela pessoa que olhava para os demais funcionários como estorvos incompetentes que estavam ali para lhe servirem, mas para um igual. Jonas caminhou até a máquina da xerox encostada na parede e conversou um pouco com o chefe. Na hora não consegui entender, mas Jonas sorria e o chefe correspondia. A visão estranha, a primeira para ser exato, de muitas outras que seguiriam.

Ficou claro, meu ódio crescendo?

O que ele estava fazendo para ganhar a fera? Por que logo ele? Não podia ser o gordinho estranho da mesa do fundo? Ele é estranho, mas me parece legal. Não aguentei e fiquei fuçando a minha rede social; fotos, mensagens que ignorava. Exceto dos meus amigos do curso. Val, Rô e Diego que sempre conversavam comigo quando eu os chamava.

O Val era o CDF do grupo. Seus olhos por trás de grandes lentes o faziam parecer uma coruja, sempre tinha as melhores ideias para os nossos problemas. Ele ficava sempre meio distante de nós — da Rô e do Diego —, mas podíamos contar com ele. Era só puxar conversa com qualquer um deles que respondiam prontamente. Eles eram como eu, sozinhos na multidão de ninguém e, por essa razão, acho que criamos um vínculo de sangue. Éramos do mesmo grupo, até mesmo o curso que fazemos aos sábados pela manhã foi escolhido junto. Eles estavam ali, até quando a bolinha do chat não estava verde, eles me responderiam, mas não os chamei.

Durante a viagem pela internet, recebi um e-mail. Um convite daqueles que se parece com vírus, mas estava sem anúncios. Eu cliquei nele e pude ver o chamado para algum tipo de evento. Ignorei. Nunca havia passado meu e-mail ou anotado em algum lugar, como conseguiram?

A pergunta era simples, mas a cena que havia presenciado estava tomando maior espaço em mim do que este fato, além do que poderia ser apenas um spam. E a sexta-feira terminou com uma noite chuvosa no trabalho chato.

CAPÍTULO V

Mentira Nossa de Cada Click

As três caravelas de Colombo eram uma mentira. Pois não eram três, sim, duas: Nina e Pinta. A terceira era uma nau, outro tipo de embarcação bem maior, chamada Maria Galante que Colombo rebatizou de Santa Maria. Uma mentira perpetuada com o passar do tempo por não ser definido como necessária. Assim como a que diz respeito aos vikings, que em seus capacetes nunca usaram chifres. Não fazia parte de seu costume, mas foi retratado desse modo por um pintor sueco chamado Gustav Malstrom, que assim fez em suas ilustrações de 1820.

Ele, na verdade, queria enfatizar o demônio selvagem que eram os pobres vikings. George Washington não foi o primeiro presidente dos Estados Unidos, foi Peyton Randolph. Walt Disney não desenhou nenhum desenho. Os piratas nunca enterraram seus tesouros, a prática era mesmo gastá-lo. E no filme *Star Wars*, eu sinto informar que aqueles sons dos tiros das naves e explosões são totalmente mentirosos. O espaço é vazio, o som não se propaga.

Mas, cá entre nós, o filme se aproximando da realidade seria uma droga!

Todas estas são mentiras históricas, bem antes da criação da internet. Não posso dizer que as detesto, pois a maior verdade do nosso mundo é que todos nós mentimos. Seja para os outros ou para nós mesmos. A gente só escolhe para quem mentir e assim segue a vida.

Com o passar dos anos, o homem aprendeu a mentir bem, até a acreditar na própria mentira. E a mentira, como um ser imortal e indestrutível, descobriu um novo aliado, um novo mundo: a tecnologia da informação. Internet, televisão, rádio, jornais, revistas, todos trabalhando com a informação, seja verdadeira ou falsa.

Paremos para pensar um pouco... Alguém leria uma matéria sobre um homem que matou o outro sem ter uma explicação? Não, é necessário ter uma história, um conto, do qual foi relatado, explicado de uma forma que venha prender a atenção. É o que geralmente acontece com os vírus da internet. Onde 90% deles são vinculados aos anúncios de pornografia, outra necessidade humana. Bem, mais masculina.

Enquanto viajava nas redes sociais e e-mails na sexta-feira chuvosa, pude ver o quanto recebo aviso e convites inúteis. Se eu fosse acreditar em tudo que recebo eu iria chegar às seguintes conclusões: meu pênis é insatisfatoriamente pequeno, estou desempregado precisando de emprego, preciso sair com mulheres casadas, fazer várias viagens para lugares que eu nunca ouvi dizer, fazer um curso de línguas, aceitar um prêmio que ganhei sem mesmo me cadastrar e ajudar algum doente reenviando o e-mail; e que sou satanista.

Sim, quem nunca viu aquela foto de Jesus ocidental ao lado de um demônio com os seguintes dizeres: se ama a Jesus, curta; se adora o demônio, só olhe.

É, de fato, sou um adorador do demônio se for seguir esta lógica.

No Brasil, a informação é utilizada sempre para um fim predestinado. Seja um boato de morte de algum artista, ou uma frase vinculada a algum político. Deve ser assim no mundo todo. Por isso que eu não acredito em quase nada que recebo ou que se propaga pelas redes sociais. Eu pensei isso com um convite estranho que recebi. Nunca fui de despertar curiosidade quanto a estes anúncios ou convites, mas jurei ter visto o nome de alguém que conheço ter me enviado o convite. Não era um spam comum.

No dia seguinte não trabalhei. Dia 8, sábado. O dia que me encontrava com os meus únicos três amigos: Val, Rô e Diego. Sempre os três, estranho não? Eles nunca deixavam de andar juntos. Eu sempre os via sentados juntos, perto de um banco frente ao curso que fazemos. Não me pergunte do quê, pois com a fumaça nas minhas costas e as descobertas dos últimos minutos não me deixam com muito espaço na cabeça para este detalhe. O importante é que eles eram cruciais para mim. Vocês entenderão.

A Rô era uma menina gordinha que sempre usava um vestidinho de bolinhas. Sim, ela não era muito criativa, mas era boa pessoa. Sempre com um doce na mão, podia sempre comer e mastigar algo que ninguém a faria parar.

— Por acaso tem algum doce sobrando aí? — perguntei, já imaginando a resposta.

— Não. — Lambuza-se com o pirulito caramelizado daqueles que só vemos no programa do Chaves.

— Ela não é de compartilhar, Renato. Não conhece a Rô? — completou o Diego.

— Tudo bem, mas isso é uma crueldade, né? Sempre que estamos aqui, você é a única que está comendo.

— Então tragam doces também. Aí o problema será resolvido.

E ela continuou a saborear o açúcar cristalizado com cores sortidas. Nós só olhamos, o que poderíamos fazer? Ela é nossa amiga do jeito que é, sem pôr nem tirar. E durante as conversas no curso seguimos o dia. Reclamei com eles das guimbas de cigarros que encontrei novamente na minha varanda, provavelmente de algum vizinho idiota. Falei dos convites que recebia, eles contaram que receberam os mesmos. O Diego estava reclamando das frases de colegas "politizados". No seu jeito sério e caladão, ele detestava pessoas esbravejarem palavras de ordem, mostrando uma moral política que não tinham. Hipocrisia, ele dizia.

— Definitivamente não entendo estas pessoas. Alguns nem respeitam o banco de gestantes no ônibus e querem ordem e matar os políticos ladrões. Estou farto de ler isso.

—É, eu sei como é. No meu trabalho tem um monte de gente assim. — soltei. — Não aguento ver.

Como era de costume, confidenciei os últimos acontecimentos. E como sempre, o Jonas era o centro das atenções. Eles concordavam comigo pelo que nutria ao Jonas. Mal falava dele e as caras deles eram de nojo, como a minha. Mais uma festinha dos colegas de trabalho onde ele virou notícia. Eles nunca o viram, mas o detestavam como eu o fazia. Deve ter sido por isso que nossa amizade somente aumentou com o passar dos anos.

Compartilhávamos exatamente tudo, exceto os doces da Rô.

Perto da hora do almoço eu fui para casa. Moro só, já falei isso? Um apartamento que fica entre dois prédios do tempo da ditadura. Sim, moro próximo ao centro do Rio, como já falei, em um bairro quase desaparecido pelo crescimento da cidade. Comi algo congelado, aquecido gentilmente pelo aparelho de micro-ondas, e fiquei na sala.

Não tenho muito que fazer durante os sábados. Fico ouvindo alguma música de uma banda que já não exista mais e por fim, no meio da tarde ainda, vou para a internet. Abro e vejo novamente os anúncios mentirosos. Desta vez mataram um artista, pela segunda vez este ano. Pessoas gritando por ordem, colegas escrevendo sobre a festinha que vai acontecer amanhã e mais um convite. O de ontem não era spam, mas nem cheguei a abrir. Bateu uma curiosidade. Uma dúvida da minha esnobação. Resolvi averiguar.

No meio de tantos outros e-mails de sorteios, promoções e convites estranhos que falavam algo em fazer sexo, estava o convite da pessoa que menos esperava. Sim, o Jonas. Não parecia ter sido feito exclusivamente para mim, era direcionado para centenas de pessoas, como uma corrente. Eu li, mesmo odiando de quem se tratava e não do quê, eu li. Era um convite para que nos reuníssemos no centro do Rio. Algo estranho. Para quê? Não estavam evidentes as razões, parecia que era uma parte do e-mail completo. Nunca falei com ele direito, por qual razão ele me convidou?

No início, nos primeiros minutos, fiquei com isso na cabeça, no entanto, fiquei pensando que tenha sido somente mais um nome para propagar o evento bobo dele. Uma festa em frente à Candelária? Era bem a cara dele, fazer algo sem noção e desrespeitosa. Eu o ignorei como sempre faço. Mal sabia que aquele não seria o último convite recebido.

As horas passaram. Fiz as coisas de sempre. Conversei com os amigos do curso, respondi algumas postagens, ouvi música. Não saí. Não que eu seja antissocial por completo. Eu saio, eu faço as minhas coisas, mas digamos que seja raro; como os eclipses lunares, por exemplo. Não saio desde a faculdade, creio eu.

Sim, vou a alguma festinha muito raramente, mas sair durante a noite? Nem lembrava. Não era como o Jonas. Conhecia tudo e todos. Pelas histórias que eu ouvia, não tinha um lugar no centro onde ele não tenha ido.

A noite chegou e eu fui domado pelo cansaço do dia sem fazer nada. Após a janta que fiz com carinho — na verdade tive o trabalho de ligar para entregarem uma pizza —, fui ver novamente meus e-mails e redes sociais. Aí, a surpresa se concretizou. Estava mais uma vez algo do Jonas, entretanto, não era um e-mail, sim, uma mensagem inbox do chat do Facebook.

Eu não o tinha como amigo, nem presencial nem virtual. Sabia das coisas dele graças aos comentários dos colegas de trabalho que sempre que podia eu excluía. Lá estava ele escrevendo para mim! Não era mais um convite aleatório, eram as palavras dele diretamente para a minha pessoa. Eram meio sem nexo, parecia que tinha pressa de escrever.

"Posso contar com você para o evento?"

Uma pergunta. Será que foi algo voltado para todos de sua lista ou algum tipo de propaganda do encontro idiota dele sendo feito também pelo Facebook? Fiquei com isso martelando na minha mente. Paralisei uns minutos pensando nesta ideia. Respondo? Eu me perguntei. Algo tão simples. Eu o odeio, mas ele nem deve saber disso, então por que o receio? Talvez fosse o ódio que tenho. É tão grande que me repelia. Ao menos era isso que me passava pela cabeça. No entanto, eu fui forte. Não respondi. Deixei ser dominado por completo pelo sono e decidi pensar sobre isso em outro momento. E assim foi.

Passei o domingo tão esquecido da mensagem que nem é válido dizer como foi. Eu fiquei vendo os anúncios e notícias das pessoas na rede social. É impressionante a necessidade dos outros de se mostrarem bem. Com o passar dos últimos anos, a exploração da autoimagem cresceu de forma alarmante, ao ponto de algumas pessoas se arrumarem para uma boa *selfie*. Posição, olhares, pouca roupa e sensualizando. São de todas as formas possíveis que elas se mostram.

Cheguei a ver a foto de uma menina com parte de seu sutiã à mostra. Estranho, mas havia muitas curtidas dos garotos. Até compreensível, em parte. Agora, o que mais vejo são fotos de meninos dentro do banheiro, em frente ao espelho.

Sei que nem todos têm um espelho grande em casa, mas tirar fotos no banheiro? Em duplas, trios e pondo a língua para fora? Não entendo muito bem essa juventude de hoje.

Diziam que a minha geração estava perdida. Pois a anterior falava que os heróis morreram de overdose, a minha então era órfã. O que me faz perguntar o seguinte: o que sobrou para a geração de hoje? O Brasil já se mostrou ser um país do futuro e, sendo assim, está longe de nós a cada dia. Mas sabe o que mais me deixa irritado em relação à exposição de certas fotos? Fotos de comida. Na boa, o prato pode ser até delicioso, mas quando aparecem em algumas fotos, não dão a impressão de que ainda entrarão em meu corpo, mas que saiu. Bizarro.

E o domingo, com os programas toscos na TV aberta, foi esquecido por mim. Até mesmo quando começou o filme de fim de noite, que com certeza terá algo de violento ou explosivo acontecendo. Acho que é para fazer o pobre trabalhador de segunda-feira permanecer acordado com tanta ação.

Fui dar uma olhada no computador antes de me deitar quando vi outro e-mail. Não era do Jonas, mas de alguém que quase igual a ele nunca imaginei que me escreveria, Andressa. Suas palavras foram rápidas e sucintas. Dizia apenas que precisava de um favor e eu tinha sido o único nome citado dentre todos que ela buscou. Não sei se poderia me sentir elogiado, como fiquei, mas algo em mim dizia que não era uma coisa boa.

Fiquei com a imagem da Andressa em minha cabeça até dormir. Eu só a vi algumas vezes depois da faculdade e continuava linda.

Acordei com uma segunda-feira normal. O som de carros buzinando no engarrafamento próximo daqui e com "aquela" disposição de ir para o trabalho. No entanto, era necessário. Eu me vesti sem olhar muito bem no espelho, comi o resto da pizza de sábado e bebi um copo de leite com chocolate. Queria dizer que era Nescau, mas a marca era de outro que mais tinha açúcar que outra coisa. Antes de sair fui até a varanda, e novamente estava cheio de guimbas de cigarro.

Como eu odeio esses vizinhos!

Saí e fui para o ponto de ônibus. Foi rápido e no meio do caminho fui pensando no e-mail do Jonas e da Andressa. Sentimentos confusos. No entanto, o trabalho me faria esquecer. E se tem uma coisa que nossos empregos podem fazer por nós é ajudar a nos esquecermos de nossas vidas e prioridades. Eu sei que penso demais em alguns momentos, e até me sinto velho por causa disso, mas este sou eu. Renato, o jovem velho.

CAPÍTULO VI

A Dona da Pedra

Há uma lei na Austrália que diz: quando uma mulher é muito bonita e fica viúva, esta não deve receber a pensão do marido, pois devido à sua beleza, logo casará novamente. Um pouco estranho, eu sei, mas a Andressa se encaixaria nesta lei para mim.

Lembram-se da Andressa? A dona da pedra? Sim, agora chegou a hora de falar dela. O fogo não chegou aqui em cima onde estou e parece que vai levar mais alguns minutos, então poderei falar um pouco dela. A menina que ama artes, pintar, e suas roupas são customizadas por ela mesma.

Tenham calma, logo volto a falar da minha segunda-feira com a mensagem do Jonas para mim, mas para entender tudo isso, precisamos falar também dela. Não é complicado, só que às vezes tenho que pular certas partes do tempo. Neste caso, voltar.

A Andressa seguiu seu curso de Artes na faculdade onde cursávamos e a vi tacar a pedra na cabeça do Jonas. Nunca falei com ela diretamente, sempre por intermédio de um olhar, de uma colega entre nós. Eu nunca quis fazer parte ou vincular minha história a dele e sentia que me aproximar de sua ex seria a mesma coisa. Mas eu não precisava fazer esforço para o contrário, a gente nunca foi próximo.

Mesmo depois da pedrada, a gente se viu algumas vezes na cantina, na rua, mas eu a evitava e podia jurar que ela também fazia o mesmo comigo; talvez devido ao fato de eu ter sido mais um que viu o show deles dois.

A menina doce e magra, de cabelos castanhos até os ombros e de óculos customizados com uns desenhos ao redor, havia crescido. Era agora uma mulher formada e bem-informada. Ainda com suas saias rodadas, camisetas leves de cores vivas e óculos grandes e atraentes. Sua pele ainda era branca, com poucas manchas. Não era fã de praia, sim, das galerias de artes e museus. Ainda andava de bicicleta pelas ruas de seu bairro e um pouco de skate. Uma menina-mulher havia se formado.

Louca para alguns e linda para outros, no caso eu. Andressa havia conseguido trabalhar em seu próprio atelier, pois desde sua primeira venda de um quadro seu para um apreciador de artes da França, ela conseguiu verba para se lançar nesse universo. O quadro era de uns gatinhos sorridentes e com olhares débeis para os lados.

Nunca fui de entender bem arte. Às vezes via naqueles quadros pintados com cores em explosões que mais se pareciam com o vômito de um bêbado, ou de um acidente estomacal terrível. Pois bem, nunca foi o meu forte, mas Andressa estava crescendo dentro desta área, mesmo que no Brasil não se valorize muito. Ela estava crescendo para o exterior, sem ter ido ainda para nenhum país. Tenho certeza de que estavam nos planos dela.

A mulher menina estava agora crescida e amadurecida. Estava bela e, desde o fim do namoro com o Jonas, eu nunca a vi com mais ninguém. Não era de sair muito, porém, tinha uma vida social quando podia. Ao menos era melhor que a minha que compartilhava com uma pizza e acesso a internet. Eu sempre a olhava e bisbilhotava pelo Facebook. Nunca a adicionei, entretanto, sempre que podia visualizava algumas informações dela que eram públicas. Eu a admirava. Mas sem qualquer tipo de contato.

O que me faz falar da Andressa agora é o fato de ter recebido sua chamada em meus contatos na internet. Ela precisava de um favor. Eu não saberia imaginar do que ela estava falando. No entanto, eu segui minha correria com a segunda-feira. Meus colegas de trabalho ficavam se entreolhando com seus risos chatos todas as vezes que eu olhava.

Ao passar pelo corredor para beber um pouco de água, eu pude perceber uns dois que falavam do churrasco na casa do... do... eu nem sei quem era. Até me cumprimentaram e gentilmente eu fingi que não vi. Segui a minha rotina. Estava louco para responder ou saber sobre os e-mails recebidos, mas a coragem ainda demorava. Eu queria ter visto o Jonas pelo trabalho para ver se ele falaria comigo, continuo odiando ele, mas a manhã toda foi sem vê-lo.

Parece um pouco contraditório ao se referir ao Jonas, no entanto, era a maior verdade. Até mesmo o e-mail da Andressa eu tardei a responder, pois o que me causava mais interesse por ora era o convite estranho e sem sentido daquele idiota.

Almocei sozinho do outro lado da rua em uma esquina com comida a quilo. Vi algumas pessoas fumando quando paguei e saí. Nossa como eu odeio fumantes. Alguns não sabem respeitar o espaço do outro, e sua mistura que leva nicotina não é agradável para minha narina. Eu fico com o cheiro e eu odeio isso. É estranho como no Brasil se luta por direitos, mas a disciplina não é o alvo com tanto empenho.

Bem, voltei sentindo aquele peso de quando estamos de barriga cheia. Quando entrei no elevador em meio aos outros, eu o vi chegar. Atrasado, desleixado e cabelos sem pentear.

Ridículo e convencido. Quando eu chego cinco minutos atrasado, nosso chefe quase arranca meu fígado, mas quando se trata do Jonas — o baladeiro do trabalho —, eu nunca o ouvi falar nada. Na verdade, o chefe havia mudado o comportamento com ele já alguns dias. Os tapinhas nas costas do Jonas, quando o chefe chegou logo atrás de nós, foi muito bem explicado.

Ele estava com a cara de merda de sempre e seu hálito veio até a mim, quando passou com seu sorriso escroto para o Jonas. Como ele conseguiu fazer o chefe ficar nas suas graças, contaminando mais um para seu mundinho de marionetes? Eu segui para a minha mesa e os vi caminhando para a sala do chefe. Antes de entrar, Jonas virou-se para mim em meio a uma gargalhada cínica e piscou um dos olhos.

Folgado como só ele poderia ser.

Meu dia seguiu pior do que eu imaginava. A Andressa que estava em minha mente, perdeu mais ainda o espaço. Ora, pensava em sua saia rodada e seus cabelos curvos nas pontas, outra ora me lembrava da piscadela debochada do infeliz. Não tive tempo para perguntar sobre o convite, ao menos não pessoalmente, pois ele ficou no centro das conversinhas de corredores e escadas dos fumantes. Para onde eu iria, estaria ele com suas conversas e risadas. Não tive escolha. Fiquei em minha mesa com os meus papéis transmissores de doenças.

Em meio à tela do monitor quadrado e pesado, que deveria ser branco, estava eu. Abri o meu e-mail e vi a mensagem dela, latente e chamando a atenção de todo o meu corpo. Eu a encarei, então respondi. Escrevi que ela poderia dizer o que precisava, e era só marcar para quando quisesse me ver. E foi. Eu tinha em mente a lanchonete aqui no centro, um lugar público para ela me dizer o que queria de mim. E fiquei esperando a resposta toda à tarde.

Meu chefe passou algumas vezes perto da minha mesa, e toda vez que fez isso esboçou um sorriso de cumprimento para mim. Foi bizarro, já que todos sabiam o quanto nós não nos dávamos bem. Às vezes, a grande desculpa de não ir às festas da empresa era a simples presença dele. O que teria mudado? Eu me perguntei. Não me veio nada que pudesse responder. A semana estava começando de forma muito estranha desde o domingo.

Mas, as coisas não parariam por aí.

Até o horário da saída tudo correu como o planejado de sempre. Sabe, a vida de um funcionário público pode ser muitas vezes o reflexo de seu saco cheio da máquina burocrática. Acredite, nem sempre somos chatos por sermos chatos e metódicos, por sentirmos prazer de fazer da sua vida um inferno enquanto com um ar de arrogância jogamos paciência no computador.

Nós também ficamos irritados com a burocracia boba e contraditória do sistema.

Pois bem, pare para pensar em um professor público. Ele está ali para ensinar e avaliar o aprendizado do aluno. Ele tem o direito de julgar melhor, de reter o aluno caso este não tenha conseguido o mínimo para uma aprovação. No entanto, os novos secretários que vêm tomando posse colocam metas. Metas? Sim, o professor só pode reter 25% da turma. Mais que isso ele é chamado para explicar direitinho, porque o problema está nele e não nos alunos pertencentes, em sua maioria, a uma geração alienada, com o senso de impunidade aflorando em suas atitudes.

Se você tiver uns trinta anos, ou um pouco menos, vai se lembrar daqueles colegas de classe retardados, que não queriam nada com a vida. Pois bem, eles cresceram e tiveram filhos, e os filhos deles estão na sala de aula e nas ruas, sem qualquer exemplo positivo. Ou mesmo de um policial, que recebe mal e muitas vezes encontra um sistema tão bem organizado que torna impossível sua retidão.

É assim que nós somos, uma bomba relógio em muitos casos. Claro que há aqueles que são maus, mas devemos admitir que nos manter puros em meio à podridão é muito difícil.

O fim da tarde foi chegando e o tempo nublado continuou. O início de semana foi de uma chuvinha fresca. Faltando pouco mais que dez minutos para eu partir, eu tenho uma surpresa. A dona da pedra chega. Andressa adentrou a grande sala com várias mesas trajando uma bela saia longa e folgada e uma blusa clara, deixando a nudez de seus ombros magros de fora. Os cabelos ondulados nas pontas e um brilho especial. Os olhos por trás das lentes de grau grandes e estilizadas, como as suas botas, estavam a minha procura.

Na hora, estranhei a familiaridade que tinha com o local. Jonas já deve tê-la trazido aqui em um dia qualquer, sem que ninguém pudesse vê-los, para namorarem em alguma volta milagrosa deles, em uma destas mesas. Ela caminhou direto para a minha mesa. Parou a minha frente, estava com um chiclete na boca, olhou para os lados, como se procurasse algum quadro ou obra de arte para disfarçar o cinza do ambiente, e falou ainda sem focar os olhos em mim.

— Já está de saída, certo?

Eu respondi que sim. Na verdade só gesticulei. Não esperava que ela viesse a minha procura. Arrumei a papelada, certifiquei-me de que meu chefe não vinha e mesmo com os olhares curiosos dos colegas de trabalho eu saí com ela me seguindo até o elevador. Não trocamos muitas palavras, apenas disse para sairmos dali.

— Onde você quer conversar? — perguntei, meio sem jeito.

Eu a conhecia, mas falar com ela era outra coisa. Não tinha muito jeito para conversar com as pessoas, sempre fui de ficar na minha e quieto demais. Confesso que a beleza de tudo o que ela representava para mim era desoladora. A Andressa era inteligente, uma mulher que eu levei muitas vezes em minha mente, nada físico.

— Vamos para o Café — ela respondeu andando agora ao meu lado pela calçada.

Seguimos para o restaurante da esquina próxima, um lugar chamado de Café. Entramos, sentamos e ficamos por alguns segundos com os olhares dispersos nas pessoas ao redor, na placa com os valores e tipos de café. Eu não sabia como iniciar, já que não tinha ideia do que ela queria comigo. Imaginei que fosse algo relacionado à profissão. Será algum processo que ela queria esclarecer?

Assim, ajeitando-me na cadeira onde não tinha nada para ajeitar, quebrando o suspense, iniciei:

— E eu posso ajudar em alguma coisa?

Dispensamos as apresentações. Afinal de contas, eu a conhecia, só não sabia de onde ela me conhecia. Ah, o que eu estou dizendo? Ela já me pegou vigiando-a inúmeras vezes na faculdade.

— Um processo antigo, talvez você ainda se lembre.

— Muito pouco provável. Pilhas e pilhas de papéis passam pela minha mesa — respondi ainda tímido.

— Eu sei, por isso vi que o único jeito era vir falar com você.

— Aceita beber comigo enquanto nós falamos?

Ela passou o olhar para os lados e à porta que tinha um grande vidro que dava para ver quem estivesse passando na calçada. Voltou seus olhos grandes e brilhantes para mim e aceitou beber algo.

Ela pediu mate com limão, enquanto eu apenas bebi algum tipo de guaraná. Ficamos bebendo e papeando. Era estranho como a gente dava voltas para falar de algo tão simples. Os olhos dela ainda carregavam um rancor, uma mágoa, ao menos pude notar por trás dos óculos. Ela realmente amava o canalha do Jonas. Mesmo que nas duas horas que seguiram não falamos sobre isso, ficou evidente que tinha algo guardado nela. Se eu não a conhecesse, poderia jurar que era direcionado para mim. Entretanto, eu a conhecia, e sua mágoa não era comigo. Poderia ser por eu ter assistido toda a cena da pedrada.

Ficamos por ali ainda por um tempo, e no fim da noite já conseguia reparar alguns risos temerosos daqueles lábios finos e rosados. Não era de se maquiar, porém continha uma beleza natural. Meus olhos já encaravam a pele dela sem se importar se notava ou não. Um veludo, ou algodão. Não conseguiria descrever, apenas que achava linda.

Por fim iniciei uma despedida, já que amanhã seria terça-feira ainda e tinha muito que fazer. Para quem não curtia uma noitada ou ficar bebendo até tarde, eu havia passado dos meus limites há muito tempo. Estava embriagado de guaraná natural, o que me daria trabalho para dormir, talvez. Foi então que tive a surpresa. Andressa se ofereceu para ir comigo. Não tínhamos bebido cerveja para rolar qualquer coisa entre nós, mas devo admitir que o mate parecia ter causado alguma coisa, pois ela foi tão espontânea. Eu disse que sim.

Seguimos pelas ruas do centro. Sabe, durante a noite, quando as ruas estão ficando vazias até mesmo dos ambulantes e boêmios, é legal andar e ouvir só os seus passos e os de carros ao longe. Eu moro em um bairro dessa área, no terceiro andar ao lado de vários cortiços e casarões abandonados ou que aparentam isso. Depois de alguns passos desviando de falhas nas calçadas e locais de obras, chegamos.

— Bem, eu moro aqui.

— Eu percebi.

Ela sorriu mais uma vez. Seu sorriso era lindo. Nas vezes em que a vi, não estava sorrindo.

— É — iniciei um discurso breve, pois sabia que era hora dela partir. — Foi muito boa a conversa, mas terei de subir...

— É, foi boa sim. — Rápida mais uma vez.

— Então, até...

— Você não vai me convidar para entrar?

Sua pergunta veio como bala. Ainda segurando a chave da frente, paralisei. Assenti. Meu apartamento estava uma zona e, com sorte, ainda teria o resto da pizza de sábado.

Subimos as escadas sujas e abandonadas. Eu falaria para ter cuidado com o ferro soltando na parede do corredor, mas ela habilmente já tinha reparado e se esquivado. Parei frente ao meu apartamento depois de alguns lances de escadas. Os olhos agora pequeninos por trás de suas lentes me fitavam. Empurrei a porta logo após duas voltas na chave. Eu fiz sinal para ela entrar e a segui.

Meu apartamento é simples. Não tenho muita coisa para usar e, por isso, pouco para limpar. Estava da mesma forma como havia deixado. Minha sala com um sofá de três lugares comprado em uma loja varejista, uma mesa de centro do brechó de quinta-feira, uma TV antiga, um quadro de um barco na parede, um pequeno corredor que leva para a cozinha pouco nutrida de alimentos e ao meu quarto.

Havia um cômodo que eu nunca usava. Servia para jogar minhas coisas antes de dar fim a elas. Andressa foi entrando, deixando sua pequena bolsa em cima da mesa, e sentou-se no sofá olhando para a varada. Por sorte, meus vizinhos pareciam não terem fumado, não havia guimbas no chão.

— Quer beber alguma coisa? — perguntei foi torcendo pela única resposta possível; água.

— Não, obrigada!

Fui até a cozinha e levei alguns segundos até voltar. Foi tempo suficiente para ela olhar para o cômodo das coisas velhas que, por acaso, estava com a porta aberta.

— Você ainda tem seus bichos de pelúcia? Elefante, tigre e macaco.

De imediato fechei a porta, pois o que tinha de coisas que poderiam me envergonhar... Era demais.

— Todo mundo sempre guarda alguma coisa velha — respondi para finalizar o assunto.

— E guardamos também sempre o que sentimos uma vez? — Suas palavras soaram doces e venenosas.

— Quando se faz parte da história de alguém, nunca poderá ser apagada. Pode não ser vivida, mas será um passado — eu estava falando como um ator de novela mexicana.

Nós nos entreolhamos por alguns instantes. Meus olhos se perderam aos dela. Olhos lindos e reflexivos. Sua pele era branca, sem marca de sol, somente de suas peripécias quando criança. Sua saia longa era rodada, sua camiseta, que vez ou outra caía pelo ombro, lembrava ser de uma grife de marca. Eu queria ter uma reação. Melhor, queria uma ação. No entanto, este meu jeito calado, quieto e racional não permitiu. Mas não evitou a reação dela.

Andressa em dois passos se atirou ao meu encontro que meus braços não estavam prontos para agarrá-la. Sua boca engoliu a minha de uma forma que eu não imaginava ser possível. Suas mãos seguravam minha nunca e costas, puxando para si. Pude sentir o mate em sua saliva, o que não deixou que seu gosto fosse saboreado. Ela me apertou como quem sente saudade. Até mesmo apenas desejo. Nunca tinha sido agarrado por uma mulher ou menina, mas gostei. Meus olhos se fecharam, como os dela, e a abracei também.

Continuamos a nos beijar. Nenhuma palavra, somente saliva e calor de nossos corpos com intervalos para a respiração ofegante. Caminhamos ainda abraçados, tateando as paredes para saber por onde andávamos, até o meu quarto e caí com ela sobre mim. Ela sorriu. E me chamou de idiota voltando a me beijar. Uma tara? Não sei se era, mas continuei.

Acredite, no momento passaram várias coisas pela minha cabeça.

Seria uma transa apenas? Do meu lado não. Eu sempre a observei e nutri algo por aquela garota. Eu não conseguiria. E ela? Por que estava fazendo aquilo? Carência? Desejo por mim? Não, deve ser carência. E eu jamais conseguiria usar alguém na sua fragilidade. Meio careta, eu sei, mas eu era assim até pouco tempo atrás. Quando percebi que ela estava puxando carinhosamente sua calcinha por entre as pernas eu a parei.

— Não! Espere!

— O que foi, você não me quer? — perguntou, ofegante.

— Claro que quero, mas... — Ela se afastou de mim, enquanto meu corpo a forçava fazer isso. — Não é para ser assim. — Ela ficou sentada na cama e eu de pé. Eu a olhei. Ela, então com sua lingerie já em suas mãos, fixou seu olhar com a lente de seu óculos quase toda manchada pela transpiração e minha pele. — Acho que temos de parar por aqui.

Sua face nada mudou. Apenas ficou de pé e vestiu a pequena calcinha preta novamente. Caminhou pela sala, pegou sua bolsa e foi até a porta. Eu a segui, pois estava com a chave. Ela ficou imóvel, sem se virar para mim. Abri a porta e Andressa se foi.

Fui um burro, talvez. Qualquer outro homem jovem estaria agora dentro daquele corpo que desejava há anos. Mas eu fui burro. Fiquei apenas com o cheiro do desejo impregnado em meu corpo e ele com a reação a ela. Eu a queria, mas era certinho demais para usar uma pessoa carente. Enquanto podia ouvir seus passos pela escada, minha mente começava a achar que tinha tomado a decisão mais idiota do mundo.

CAPÍTULO VII

O Primeiro Contato

Você pode não imaginar que duas coisas tão distintas podem significar muito entre elas? O que tem a ver calcinha e a Revolução Francesa? Estão ligadas. Certa vez eu li que até o século XVIII, as mulheres não usavam calcinhas. As suas partes íntimas ficavam totalmente livres, leves e quase soltas, já que a quantidade de roupa por cima do corpo impedia a mulher de ser vista tão facilmente. As ceroulas era parte do indumentário masculino, ai da mulher que usasse.

O costume era camisola reta de linho em contato com a pele seguida por corpete, duas anáguas e vestidos com saias longas e pesadas. Para quê uma calcinha? Devido à Revolução Francesa, as roupas das mulheres passaram por mudanças, sendo criado um elegante vestido de cintura alta, conhecidos como "estilo império", o que deixava muito vulnerável as partes "baixas", logo, a calcinha teve seu primeiro modelito em 1800. Um calção que chegava até os pés.

Viram? Tudo tem uma ligação, uma consequência. Seja a derrota de Napoleão Bonaparte devido aos botões das roupas de seus soldados que era feito de um material que dissolveu no frio da Rússia, e causou transtornos aos soldados ou a calcinha.

E por que a calcinha? É que ao levantar atrasado para o trabalho, eu encontrei a mesma calcinha preta e minúscula da Andressa sobre o meu sofá. Céus, a menina deve ter lançado no braço do sofá antes de sair para que de alguma forma eu me lembrasse do que perdi!

Ou deixou para ter uma desculpa de voltar. Vai saber...

Não sei se alguém passou por isso, mas nós, homens, vivemos uma grande parte de nossa vida pensando em alguém que use calcinha e não na calcinha propriamente dita. Pois foi isso que passou pela minha cabeça na maior parte do tempo daquela terça-feira. Meu chefe estranhamente nem brigou comigo quando cheguei atrasado, como não fazia há algum tempo. Eu segui assim na quarta, quinta até sexta-feira, dia 14 de junho.

Ainda pensava na calcinha e na dona dela, porém com pouco menos frequência. Tinha até visto o processo que ela havia pedido e feito quando conversamos no Café. Talvez ela não fosse mais querer me ver, já tinha o que queria.

Na sexta-feira, fui para o trabalho de sempre e, quando voltei do almoço, avistei em minha mesa uma carta pequena; parecida com aquelas de presentes. Tenho que admitir que meu coração saltou, pois pensei que fosse dela, no entanto, era do Jonas. Digitado e impresso, o convite era direcionado a mim para o encontro dele em frente à Candelária.

É, o cara estava se doando para isso mesmo, porque mandar um convite para um evento virtual é uma coisa, mas quando se disponibiliza a imprimir, o negócio é diferente. Eu abri, li e vi as informações do que dizia. Umas orientações meio loucas de transporte, ruas que devíamos seguir entre outras coisas. Ainda continuava sem entender o porquê daquilo tudo. Mas como se tratava de Jonas, eu odiei desde o princípio.

O cara nunca falava comigo além de olhadas e piscadelas, era invisível e ainda por cima vem me convidar para algum evento idiota dele, contando com a minha presença? Sim, estava escrito no fim: conto com a sua presença no dia. Uma ova que iria!

Eu não havia pegado o contato da Andressa, a menina atiradora de pedra saiu do meu apartamento naquela noite e nunca mais a vi. Eu tinha como responder o e-mail dela ou até encontrá-la no Facebook, mas achei que seria estranho: olha, você saiu e esqueceu sua calcinha preta e minúscula, pode vir buscar?

Realmente, não rolaria acontecer desta forma. Eu não era um Jonas, o cara-de-pau. Jamais faria isso. Eu a vi sofrer quando estávamos na faculdade, não iria querer ser responsável por mais uma dor ou constrangimento. Não. Teria de ficar em silêncio mesmo e quando ela quisesse, ou não, eu devolveria.

Agora, o convite do chato do Jonas estava na minha mente. O que ele queria com aquilo? Certamente estava repleto de curiosidade, mas tudo o que é relacionado ao Jonas, não presta. Experiência de observador.

Certa vez, fiquei sabendo que ele fez uma festinha na casa de um dos colegas de trabalho e como o som rolou até altas horas e muito alto, deu polícia, briga com vizinhos e até tiros. Outra vez, ele desacatou um policial que tentou revistá-lo. Ficou com a marca no rosto para contar durante semanas e sua fama e fãs apenas aumentaram.

Ele se achava imponente e eterno em cada passo. Seus cabelos quase louros, pele clara e manchada pelo sol, um porte quase de surfista. Esbanjava uma confiança arrogante.

Eu dei uma volta pelas mesas dos outros com seus nomes impressos em plaquinhas. Como eu odeio isso. Nomes na frente das mesas tentando definir quem são e o quê; cargo e nome. A minha plaquinha nunca foi usada. Eu a guardo na gaveta.

Ninguém precisa saber quem sou eu, pois quando me procuram não estão de fato me querendo, sim, os papéis que estão comigo. Talvez este seja mais um dos motivos para o meu chefe me odiar tanto. Não reparei o mesmo convite na mesa de mais ninguém. Todos eles sempre que eu passava, sorriam meio de lado e escondidos. Certamente eu também era uma piada para eles. Meu chefe, não, ele passava e me cumprimentava timidamente. O que nunca tinha acontecido antes, já mencionei?

Durante a minha caminhada por entre as mesas, corredores e salas eu via os rostos dos colegas. Eu odeio isso tudo. Já me peguei imaginando entrar aqui com uma arma na mão e granadas na cintura. Atirando em cada escroto sentado em sua cadeira curva com molas e apoio reclináveis para suas costas se manterem firmes e rígidas até chegar à sala do meu chefe. Um tiro em cada um deles, correndo, gritando “Por favor!”, adoçando o demônio na hora de seu próprio fim.

Uma tendência tão humana!

Por fim, explodindo a sala do meu chefe com ele dentro. Derramando gasolina em todo o lugar e acendendo o fósforo que cai em câmera lenta, depois de rodopiar no alto sem apagar por inúmeras vezes.

Uma cena de filme, eu sei. Ver todo este papel pegando fogo, arder em chamas. Isso é apenas um desejo, daqueles que não iremos realizar, mas vez ou outra nós nos pegamos elaborando-os. Como a dieta do verão, os discursos em público no recebimento de um prêmio ou aquele fora que você sente vontade de ter dado, mas que na hora ficou com aquela cara-de-bunda, sem resposta.

Meu jeito racional não me permitiu nem xingar um colega de trabalho ou desconhecido. Claro, na minha mente eles ardiam, explodiam, e eram praguejados até a sexta geração. No entanto, pessoalmente eu era um típico e apropriado vulgo bundão. Um cara tão racional que durante grande parte da vida perdeu oportunidades de pelo menos revidar algo ruim que me tenham feito. Por pensar nas consequências, razões e causas como uma balança certa e fria, eu nada fazia.

Certa vez andei lendo que o meu perfil se encaixava perfeitamente nos perfis daquelas pessoas que em um dia de sol brilhante e de beleza para os poetas e enamorados criarem seus textos para a natureza ou uma paixão, saem e matam várias pessoas que nunca imaginariam que o colega da mesa ao lado, aquele que nunca vai às festas e não conversa com mais ninguém sem nenhum histórico de relacionamento íntimo na empresa onde trabalha, é uma máquina pronta para explodir.

Não é o meu caso. Eu apenas penso. Todos pensam algo parecido em algum momento, a questão é se todos falam.

Se existe um Deus criador de tudo e todos, Ele fez a nossa capacidade de pensar por um único motivo: esconder certas palavras. Já imaginou falar tudo o que pensa? É no mínimo mal-educado, ao contrário do que as pessoas creem que isso seja ser sincero. Eu não sou ateu, só para deixar claro. Mas com a minha vidinha cética e observadora do caos em torno, cheguei à conclusão de que Deus existe. E por isso mesmo não dá a mínima para nós e os nossos problemas mesquinhos. Uma força superior criadora de tudo.

Sim, Deus só não deve prestar muita atenção nas coisas. Ele destruiu a Humanidade uma vez porque estavam todos errados. E agora? Deu tudo errado novamente. Ele, é onisciente, como fez isso?

Convite e calcinha. As duas coisas que seguiram em minha mente no decorrer daquela sexta-feira. Revolução Francesa, nem tanto.

A hora de ir para casa chegou. Mais uma vez eu era um dos últimos a sair. Sexta-feira parece inebriar as pessoas de um espírito leviano que até mesmo os mais pacatos são contagiados. Grupinhos de colegas de trabalho se juntam nos cantos arquitetando os lugares que iriam. Não tinham nem ideia do local, mas falavam como se fossem os maiorais. Solteiros, casados, noivos e qualquer um que tivesse a libido aflorando naquele instante. Homens estranhos e de uma arrogância que se a sua parceira pudesse ver, nem chegaria perto para um beijo sem compromisso.

Mas, eu não! Sair assim nunca foi meu forte, além do mais, eu teria meu curso semanal na manhã de sábado. Não iria para um local cheio de gente estranha para uma azaração sem lógica apenas baseado no meu instinto. Posso parecer puritano demais, mas eu era assim.

Guardei as minhas coisas e saí. Desejei um "Boa noite!" tímido para os poucos que iniciavam um diálogo comigo. Abaixei a cabeça para evitar olhar para mais pessoas e entrei no elevador. Saí e segui o meu caminho pela calçada do centro. Abarrotada de ambulantes e camelôs montando suas barracas para a noite. Bares com suas cadeiras espalhadas pela calçada e algumas músicas tocadas em caixas desproporcionais em esquinas completamente sem preparo para o trânsito ali forçado pelos carros em meio às pessoas.

Este é o centro do Rio! Lindo e imundo.

Andei pela minha rua já pouco movimentada, exceto pelos moradores de ruas que ficam sentados na minha calçada desde que me entendo por gente. Subo e vou para o meu apartamento. Largo as minhas coisas, ligo a TV e vou tomar um banho. Não deixo de reparar a calcinha preta e minúscula no braço do sofá. Ela ficou lá este tempo todo, não tenho visitas. Eu meio que quis provar a ela que não tinha feito nada profano, caso Andressa voltasse aqui em casa. Não sou um pervertido.

Acessei minha conta do Facebook e fiquei tentado a escrever para ela. Segurei minhas mãos em cima do teclado preto do meu computador por alguns segundos, buscando coragem. Não. Eu iria esperá-la. Este era o certo a se fazer. Foi então que para a minha surpresa mais uma coisa bizarra. Uma bolinha verde em cima de um nome bem conhecido e odiado surge informando que chegara uma nova mensagem. Jonas escrevendo para mim naquele instante. Eu abri:

"E aí, você vai?"

Ele estava sendo direto. Eu sabia do que estava se referindo, mas como não tínhamos essa intimidade descrita em suas palavras eu respondi apenas com uma pergunta.

"E para onde eu deveria ir?"

Não tardou muito, pois ele devia estar ainda na empresa fazendo alguma coisa antes de partir. Era o que tinha reparado quando eu saí de lá.

"Para o grande dia. Você foi convidado, porque precisamos fazer alguma coisa!"

"Na Candelária? Não tenho certeza se irei. Tenho outros compromissos."

Isso incluía ficar sentado olhando para uma calcinha esquecida em minha casa.

"Nós contamos com você! Precisamos de você!"

"Acho que não sou o cara certo para seja lá o que for este encontro."

Realmente não tinha noção do que se tratava.

"Meu caro, você não pode deixar as coisas do jeito que estão. É de nossa responsabilidade agir. Eu vou contar com você lá."

Ele realmente não me conhece para dizer que conta comigo. Ninguém pode contar comigo para eventos sociais, será que ele nunca observou isso nas festas da empresa onde só fui às que era obrigado? Escroto e burro. Tinha de ser. Não é à toa que Andressa largou este babaca há alguns anos.

Não respondi mais. Não era um prazer para mim, ter esse tipo de conversa com aquele tipo de pessoa. Pode não parecer muita coisa, mas Jonas é odioso por si só. Sei que ainda não tiveram a mesma impressão que eu tenho, e nem é a minha intenção influenciá-los, deixarei que criem a de vocês. Sujeito arrogante e pretensioso.

Terminou a sexta-feira e fui dormir. Deixei sem uma resposta direta. Entretanto, qualquer um saberia que eu não estava a fim de ir a lugar algum com aquele tipo de conversa. No dia seguinte tinha o curso com os meus únicos amigos; a Rô, o Val e o Diego. Eu me deitei cedo em uma sexta animada, rolando bebidas, mulheres e música alta em algum lugar longe de mim.

No sábado bem cedo eu estava com os meus amigos. A Rô com seus doces nos deixando loucos com aquilo.

— Então, o sacana falou diretamente com você para o evento dele? — Rô perguntou, chupando umas três balas.

— É, foi — respondi, ainda impressionado com a quantidade de doces que ela levava.

— O cara é mesmo um ridículo convencido. Nem fala com você e já diz contar com você para ajudar no evento dele? — acrescentou o Val.

— Eu deixei tudo meio vago, até porque eu nem sei do que se trata este evento ridículo dele. Uma festa?

— Um protesto — soltou Diego com seu jeito caladão. — Ele pode tá organizando um protesto. Já repararam que o número de pessoas falando sobre política nas redes sociais aumentou nos últimos meses? De repente, pode ser isso.

— O cara convencido envolvido com política? — Rô parou com seus doces e vociferou de imediato: — Impossível!

— Talvez não — continuou Diego. — Sei que não é do perfil dele este tipo de visão altruísta, mas para uma pessoa tão popular quanto ele, é muito fácil convencer pessoas ao seu redor para esta façanha.

Fiquei pensando no que o Diego tinha dito. Realmente era uma coisa muito fácil para o Jonas, influenciar pessoas. Será que ele estava envolvido com alguma coisa sobre direitos?

Liberdade? Fraternidade? Acho que não. Jonas, o rei e deus do seu umbigo!

Ele curtia as farras, sair, pegar as meninas e ser o sol de todos. Fazer algo tão elaborado assim não era tão simples. Ele deveria seguir certas regras básicas, ter uma visão crítica. Modéstia à parte, ele deveria ter o mínimo de conhecimento, ou ser tão observador como eu:

Primeiro, ter uma causa pela qual estivesse disposto a se sacrificar.

Segundo, organizar o que se deseja para uma boa divulgação.

Terceiro, convencer outras pessoas da sua causa.

Quarto, propagar a ideia em todos os meios de comunicação para que a causa seja aceita e defendida, mesmo que seja em comentários.

Quinto, ter um local para se organizar reuniões e guardar o material de divulgação.

Sexto, criar outros núcleos de pessoas que abracem a causa em outras regiões do país.

Sétimo, realizar o grande evento com todas as pessoas que de alguma forma se sintam encaixadas na causa.

Pronto, estes são os sete passos que o Jonas deveria fazer no mínimo para realizar um evento assim. E na boa, não acredito que ele tenha conhecido pessoas influentes ou mudado sua forma de pensar da noite para o dia. A não ser que tenha ficado um ano isolado em algum mosteiro de uma terra distante. O cara é vazio, cheio de si. Pode até ser manipulador, mas nada que ultrapasse ficar com uma mulher numa noite ou ganhar alguma folga ou falta abonada. Ele é o típico malandro, boa pinta em que as pessoas gostam de criar expectativas devido à aparência de playboy dele.

CAPÍTULO VIII

Louco Centro

Por mais que o mundo seja repleto de mentiras, podemos citar algumas verdades absolutas. Algumas delas vocês já devem ter ouvido falar que são a morte e os impostos. Olha, há outra que poucos se atentam. Toda sociedade não pode deixar de ter duas coisas: religião e álcool. Nenhuma sociedade pode ser perfeita, caso contrário ela finda em pouco tempo.

A religião serve para explicar aquelas nossas perguntas sem explicação por muitas vezes não ter sido perguntada da maneira correta. E o álcool serve para nos abster de nós mesmos. Quando está triste, bebe. Quando está feliz, bebe. O ser humano sempre necessitou saber das coisas que não fariam diferença em sua existência. Durante muito tempo o próprio céu era a fonte de inspiração para se criar as histórias das quais viriam se tornar em religião. O velho da tribo era considerado o sábio devido ao tempo que esteve neste geoide chato e perdido.

Por que estou dizendo isso? Bem, o centro do Rio de Janeiro — assim como todos os outros centros espalhados no mundo — segue os mesmos padrões necessários para sua existência.

Sempre me perguntei como seria viver no centro de outra cidade grande. Aqui, no caminho que faço para o trabalho, eu vejo moradores de rua, pessoas de passagem, ambulantes, pedintes, trombadinhas, idosos, carros, ônibus, táxis, caminhões descarregando produtos, barraquinhas com lanches rápidos e gordurosos, pastelarias.

Eu poderia fazer uma lista enorme, mas esta não é a intenção. Poderia citar todas as doze pastelarias que passo no caminho de casa/trabalho e trabalho/casa. E, sim, poderia dizer que as pastelarias que geralmente acreditamos pertencer a um chinês, na verdade são de coreanos. Sim, muita gente não sabe. Assim como o biscoito da sorte, que nada mais é que uma criação dos Estados Unidos da América.

Como todo o centro, aqui se cria costumes e interpretações das coisas. Desde pequeno eu nunca consegui jogar bola na rua onde moro, pois nela passa pelo menos três linhas de ônibus. Uma coisa frustrante para qualquer garoto de doze anos de idade. Era tão desejado por mim que quando houve um acidente envolvendo um táxi e um ônibus que fechou a rua, eu passei à tarde quase toda jogando bola na rua, sentado, deitado ignorando o motivo da ausência dos carros. Parecia com um louco varrido, mas estava feliz pacas.

Segunda-feira, dia 17 de junho, e seguia eu pelo caminho de sempre para o trabalho. Calçadas esburacadas, sujeira e carros estacionados. Tudo normal. Exceto pelo que viria a acontecer minutos à frente, umas duas quadras depois de onde estava naquele momento. Sim, podem imaginar. Eu, um sujeito comum com um andar estranho e olhar atento a tudo, caminhando para o seu infeliz trabalho quando é interrompido pela rotina chata e tediosa do dia a dia.

Para deixar bem claro, eu estou narrando isso ainda no alto deste prédio em chamas. O fogo parece que está interessado na minha história, já que parou para me ouvir contando. Então, continuemos:

Como havia dito, passados alguns minutos e duas quadras depois, uma viatura da polícia militar passou por mim com suas luzes apagadas. Era comum, pois a ronda deles pelo centro é maior que em outros bairros menos importantes, como os da zona norte. A freada brusca e a marcha à ré dada pelo veículo azul e novo, com homens de armas para fora, me chamou a atenção. Um deles gritou para mim, ao menos achei que fosse para mim, já que seus olhos raivosos me consumiam.

Desculpe se não vão concordar comigo, mas minha única reação naquele momento foi a que todos poderiam dizer que era a errada, correr. Eu sei que correr quando não se deve é assinar a culpa de seja lá o quê. Mas gente, eu levei um susto! E estando em um estado do Brasil onde pessoas desaparecem e outros são mortos a troco de nada, ficar com o chamado brusco deles, sabendo que não era para saber as horas, tenho certeza de que agi da melhor maneira possível.

Eu corri numa explosão de medo e susto que nem lembro para onde segui nos primeiros segundos. Acredito que fui o homem mais rápido do mundo naquele instante. Usain Bolt veria somente a minha sombra. Entrei pela primeira rua que vi, segui correndo em um beco e entrei na frente dos carros parados no sinal. Quando pude olhar para trás, reparei que os dois policiais estavam me seguindo com suas armas nas mãos. Não era engano, eles estavam correndo atrás de mim. Respirei fundo e continuei minha fuga. Não sabia para onde deveria ir, só que ficar não era uma opção inteligente.

Pulei o capô de um dos carros à frente, bati o braço no retrovisor do outro e quase derrubei um motoqueiro. O coração não parava de bater com tamanha força. O meu sangue já corria pelo corpo inteiro em grande velocidade. As minhas pernas já estavam no automático, porque elas já não faziam a minha vontade, sim, a delas próprias. Continuei correndo e torcendo para que ninguém desse uma de herói e me tentasse parar. Seria trágico. Entrei em uma loja grande de produtos variados e saí em sua outra entrada, na rua de trás. Os policias não tiveram chance de avisar aos seguranças de lá, senão estaria perdido. Corri por entre os carros em movimento, motos que buzinavam freneticamente acompanhados por xingamentos.

Eu não tive a sorte de ser perseguido por aqueles policiais gordos e cansados que geralmente encontramos. Estes eram fortes e bem dispostos a me pegarem por sabe Deus o motivo. Eu segui por outra rua pequena e entrei em vários becos estreitos. Quando me dei conta, estava em um lugar deserto, ideal para ser agredido ou morto por fazerem correr tanto por mim. Parei, girei a cabeça para os lados buscando uma solução e não encontrei. Continuei em um dos becos até bater de frente com um portão com correntes enroladas. Estava cercado. Estava perdido. Eu podia ouvir os passos e os xingamentos dos policiais vindos logo atrás.

Analisei novamente o portão mal-acabado e acorrentado e, em um dos meus olhares, reparei que as correntes não o estavam prendendo, sim, um peso. Eu forcei e entrei no grande galpão ao lado de cortiços e sumi na escuridão. Agachei e fiquei esperando o som dos policiais. Controlei a minha respiração ofegante o quanto foi possível. Segurei o portão para o caso de eles tentassem a mesma coisa. Estava uma escuridão mesmo de dia. Não via nada nem ninguém. Os passos foram aumentando e o som até que eu os vi passar por mim correndo e direto para o outro beco.

O som era da minha respiração e do coração pulsante. Aguardei alguns minutos para me mover no canto onde estava. Fiquei apavorado com o que eles queriam e o que fariam se me pegassem. O cheiro de mofo e a umidade no chão entravam em meu tênis. O suor em meu peito estava encharcando toda a minha camisa. Agachado e com uma das mãos no chão, eu pude sentir o solo macio de lodo e uma água velha. Olhei para cima e reparei os furos das telhas do galpão onde estava com o brilho do sol, lembrando estrelas na noite mais escura. Os vidrais nas laterais, quase todos quebrados e cobertos por sujeira, estavam deixando tudo mais soturno. Com certeza estava em um galpão abandonado.

Eu me virei em cima dos calcanhares sem me levantar ainda e olhei para trás. Parecia ser amplo, mas não conseguia ver mais nada além de um metro de distância. Tive cuidado para não fazer barulho, já que a cada passo eu esmagava algo abandonado no chão. Mais alguns minutos até ter coragem de me levantar e explorar o local. Assim eu fiz e fui para os cantos com a ajuda da pouca luz que invadia os vidros sujos e buracos nas telhas.

Tateei até encontrar um interruptor velho e meio pendurado pelo cabo. Apertei e as luzes acenderam. Exceto algumas dos cantos que nem deram sinal de vida. O susto continuou, mesmo com o coração já regularizado pela corrida matinal escapando dos policiais. Pilhas de caixas, rolos de cartazes, madeiras finas enroladas, fitas, cordas e muito papelão contrastando com o local velho e sujo que estavam estes materiais novinhos. Eu me coloquei devidamente de pé quase me esquecendo dos meus perseguidores.

— Mas que merda é essa?

Eu falei num tom normal, esquecendo a pequena possibilidade de que poderia haver alguém ali para vigiar todo aquele material. Coloquei a mão à boca como se me corrigisse, mas ninguém apareceu.

Dei alguns passos para frente e fui averiguar. O material estava limpo e sem poeira, isso quer dizer que não estava ali há muito tempo. Forcei uma caixa e vi os panfletos que estavam lá dentro. Todos com o convite estranho para o encontro da Candelária. Alguma coisa estava ligada com o Jonas. Carregava a certeza de que ele tinha algo com aquilo tudo.

No entanto, a mesma dúvida caía sobre mim: como um cara tão relaxado e desorganizado poderia arquitetar tal coisa? Ou será que ele era apenas pau-mandado nisso tudo?

Acreditei que fosse a segunda opção, pois era muito mais válida que imaginar o arrogante e tosco do Jonas organizando um evento público daquele porte. E de onde viria o dinheiro para a compra de tanto material como aquele?

O salário dele é igual ao meu até onde sei e por isso mesmo deveria estar dando calote em muita gente ou não estar sozinho para fazer aquilo. Não, definitivamente não era ele sozinho. Tinham outros por trás.

Continuei andando e olhando para as coisas. Panfletos diversos, cartazes, latas de tintas em spray, cordas, fitas e muito mais coisas. Tive medo de que alguém chegasse e me visse violando todas as caixas, então fiquei somente nas primeiras três. Aquilo estava me deixando tão arrepiado quanto minha fuga, instantes atrás, dos dois policiais armados.

O Jonas estava por trás daquilo, tenho certeza.

Eu fui para o portão enferrujado que estava com as correntes que pareciam fechadas, mas o cadeado estava aberto e passei por ele olhando bem para os lados. Nenhum sinal dos policiais. Fechei o portão e saí andando desconfiado pelos cantos. Não demorou até eu chegar ao trabalho com mais de uma hora de atraso.

Confesso que estava preparado para aquele sermão junto com as ameaças do meu chefe. Mesmo estando um pouco mais educado que de costume, aquela era uma ótima oportunidade para aquele frustrado sexualmente desabafar sua vida medíocre em cima de mim.

Meu chefe com certeza não deve ter a vida sexual que gostaria de ter. Mesmo sendo casado, é o período mais árduo para um homem ter uma vida sexual ativa. Eu sei, vocês devem estar se perguntando: como um cara novo e solteiro como você pode saber disso?

Eu sempre fui de ler muito. E lendo foi que descobri que a vida sexual de um solteiro pode ser maior que a de um homem casado. E que homens casados se masturbam mais que solteiros. Sei que toda pesquisa tem sua exceção, eu sou em alguns casos, pois sou solteiro e não tenho muita atividade neste quesito.

Pois bem, homens na idade do meu chefe costumam ter uma mulher em casa que já não se cuida mais como antes e nem tem mais o mesmo pique que teve um dia. O casamento cresceu, os filhos chegaram e a vaidade foi embora junto com a beleza. Os traços da primeira gravidez, da segunda e às vezes até de uma tendência genética, de menos de 4%, de puxar aquela tia-avó feia de corpo que mais parece com uma coxinha é grande.

Entrei, subi o elevador e fui direto para o banheiro tentar enxugar meu suor e melhorar a cara de assustado. Passei despercebido até chegar a minha mesa com o rosto ainda úmido da água gelada. Eu me ajeitei na cadeira velha, passei um olhar em minha mesa, certifiquei-me de que a gaveta estava fechada e comecei a pegar a pilha de papel a minha espera no canto direito. Foi aí que o meu chefe passou. Eu o olhei esperando a bronca, no entanto, veio outra surpresa.

— Bom dia! Teve algum problema? — ele perguntou com expressão de preocupado.

Fiquei paralisado. Era um deboche? Eu ouvi bem? Achei que o susto estava me deixando imaginar coisas.

— Está tudo bem? — ele continuou, com a minha expressão atônita.

— Sim — soltei sem nexo. — Só um contratempo básico.

— Se precisar de algo, venha à minha sala.

E ele saiu. O dia estava estranho mesmo. O meu chefe estava com um comportamento muito estranho já há alguns dias. E sempre que o via com o Jonas, eles estavam sorrindo como nunca tinha visto com alguém. Será que o Jonas domou o Frustrado Sexual? Com certeza não era de graça, sairia caro para todos nós.

Nada do que o Jonas faça sai de forma branda para os que estão envolvidos. E confesso que a partir daquele momento minha desconfiança que nutria com o Jonas passou, em parte, para meu chefe. Alguma coisa estava acontecendo entre eles.

Todos os outros colegas do trabalho me passaram olhares interessados, no entanto, como sempre faço os ignorei por completo. O dia não foi comum para mim. Tinha as mesmas cismas e pensamentos a respeito do Jonas, do meu chefe, até mesmo da Andressa que vez ou outra invadia a minha mente. Ainda não tinha entrado em contato comigo, nem eu com ela.

Estava decidido a aguardar. Minha falta de coragem e este meu jeito calculista e racional não me permitiam coisas assim, tão inesperadas. Aquela segunda-feira, 17 de junho, realmente estava repleta de novidades e dúvidas. E eu teria o resto do dia para tentar descobrir a relação do evento do Jonas com o galpão que encontrei.

De fato, ele tinha algo a ver e por isso o mistério todo.

CAPÍTULO IX

"Para Você"

Não demorei muito para ir embora. O final do meu expediente chegou e não fiquei mais nem um minuto para compensar a 1h27 que havia chegado atrasado. Não, eu não estava bem naquele dia para compensar nada. Afinal de contas, se meu chefe não fez questão disso, por que eu faria?

Pouco antes de anoitecer eu fui embora. Jonas havia ficado, como de costume; ele permanecia até mais tarde sempre que podia. Ao menos era o que eu escutava pelos cantos. Durante o dia eu cheguei a receber mais convites do seu "grande" evento. Todos eles não continham a data, mas dizia que estava próximo.

Antes de ir para casa eu cheguei a entrar na internet e pude reparar os vários convites e o número de pessoas interessadas e envolvidas com as chamadas do evento do Jonas. A coisa não era só para uns poucos conhecidos, estava indo bem mais longe do que eu poderia imaginar. É, às vezes, tinha a mente pouco criativa.

Perdi um tempo vendo o tamanho das publicações e os comentários. Pessoas de São Paulo, Minas Gerias, Mato Grosso, Bahia, Rondônia e até mesmo do Acre! As pessoas estavam envolvidas, perguntando como e quando seria o evento aqui do Rio. Todos estavam em suas postagens dizendo que estava na hora de fazer alguma coisa, mudar. O teor era bem mais político do que eu poderia imaginar. Pessoas criticando partidos políticos, governantes, ações do governo e as dezenas de corrupções que afloraram neste ano.

É complicado isso, pois o senso comum das pessoas de não aceitar a corrupção política é, em minha opinião, um pouco sem sentido. Pense comigo; as pessoas são contra os governantes por andarem em seus helicópteros de empresários amigos que certamente vão ganhar algum tipo de benefício, mas o pensamento da pessoa que não tem esta condição é ter esta mesma capacidade. Quase ninguém quer transporte público de qualidade para todos, sim, um carro de qualidade 2.0 que faça 100 km em três segundos, no mínimo.

Outra coisa que em minha opinião não tem lógica. As estradas brasileiras têm a liberdade de velocidade de no máximo 120 km/h. Para que as empresas fazem utilitários que chegam a 240, 290 km/h? Será que não existe ninguém para pensar que isso é despertar o nosso instinto mais perverso que é o da comparação?

Sim, nós humanos somos concorrentes de nós mesmos. Seja o homem que quer ser o macho alfa do grupo de amigos, o centro das atenções na roda de colegas, trabalho ou da mulher que, ao se arrumar para sair muitas vezes o faz para competir com outras e não para o próprio homem, como muitas vezes ele, enganado, pensa.

Não sabe de nada, inocente!

A mesma pessoa que pede mais igualdade matricula seu filho em uma escola particular. Ou o que faz marcha pela paz é usuário de drogas compradas nas mãos de traficantes. Ou o que chamam a classe média alta de burguesa tem sinal clandestino de TV a cabo ou furta a energia elétrica que usa. Acredito que as pessoas são tão mesquinhas e egoístas que no fundo, quando veem um político ou um filho de alguém rico atropelar e matar alguém, desejam no fundo ser filho ou ter algum parente dele, para ter a mesma proteção.

Todas as postagens e compartilhamentos estavam repletos de pessoas politizadas, mas com seus valores à frente dos demais. Uns pediam morte, outros pediam a cassação de governadores e até de presidentes. Os ânimos estavam à flor da pele ainda de forma virtual. Uns debatiam e muitos xingavam. Não sabia se aquilo daria em algum lugar, até ver os números. Muitas pessoas estavam sendo alcançadas em várias partes do Brasil. Era realmente uma coisa idealizada pelo Jonas? Não podia ser. Ele não tinha tanto para um evento deste tamanho. Fui para casa.

Claro que na volta eu fui mais desconfiado do que quando cheguei. Qualquer luz vermelha ou sirene, que no centro do Rio ouvimos quase a todo o momento, era uma desculpa para entrar nos bares que deixam à mostra aqueles ovos cozidos que estão ali sabe Deus quanto tempo. Levei o dobro do tempo para chegar ao meu apartamento na minha rua deserta. Girei a chave e entrei.

Lá estava a calcinha, no mesmo lugar de sempre. Passei por ela e fui até a cozinha beber água. Larguei carteira e tênis perto do sofá e fui ligar o computador. As discussões sobre a política do país tinham me deixado sem sono. Eu mesmo não participei de nenhuma, não gostava de me expor aos comentários de outras pessoas, ainda mais quando estas eram incapazes de manter um diálogo decente e racional.

A iniciação da minha máquina era um pouco lenta, mas sentei e aguardei. Entrei no meu perfil da internet e lá estava a caixinha de mensagem com uma única chamada. Jonas.

"Pronto para o grande dia?"

Ele ainda com isso? Pensei e respondi de imediato:

"Não vou."

Fui curto e grosso.

"Não diga uma coisa desta. Nós estamos contando com você."

Ele era realmente persistente. Sua fama condizia com a verdade.

"Não poderei ir. Tenho outras coisas para fazer. Boa sorte com o seu 'grande dia'."

"OK. Muito obrigado pela atenção e pelo favor que ainda não aceitou, mas já fez."

Como eu tinha feito um favor se não tinha aceitado ainda? Será que ele era louco? Pensei duas vezes antes de responder até que bateram à porta com três *toc-toc-toc*. Não esperava ninguém. Nunca. Tanto que eu nem tinha olho mágico na minha porta de madeira tão antiga quanto o prédio. Caminhei, antes de responder ao Jonas, e fui ver quem era.

Claro que por algum segundo eu pensei ser a Andressa, mas não era. Sim, um senhor velho, de corpo curvo e maltrapilho que vigiava o primeiro andar abandonado do meu prédio. Na parte de baixo tinha sido uma mercearia há muito tempo e agora era o depósito de ferros tortos de máquinas de barco. Ao menos parecia, pois certa vez eu vi uma âncora lá.

— Pois não? — indaguei.

— Tem encomendas aqui embaixo para o senhor. — A voz grave e rouca seguida por um pigarro me respondeu.

— Encomendas? Eu não estou esperando nenhuma encomenda.

— O senhor mora no número 31, da Rua dos Estivadores, terceiro andar? — insistiu.

— Sim, mas não estou esperando nenhuma encomenda.

— A vida às vezes é assim e nos pega de surpresa, meu jovem.

Nada respondi.

— Mas a encomenda é para você.

Abri a porta mais um pouco e vi uma caixa, ao lado das pernas do velho insistente.

— Tudo bem. É esta aí? Eu coloco pra dentro.

— Não. — Ele pigarreou. — Esta é a única que consegui subir, sabe, estou velho e cheio de doença. O restante tá aqui embaixo. — Ele me deu as costas e saiu lentamente. — Venha, não demore a pegar o restante.

Restante? Arregalei meus olhos quando vi a pequena pilha de caixas de quase um metro quadrado. Havia umas doze, em três pilhas altas. Não era de todo pesado, mas eram grandes para subir de escada. Ainda relutei quanto ao que era, mas não quis abrir ali, na frente dele. O velho entrou e foi para uma sala esquecida, que um dia havia sido um escritório, e trouxe um papel dizendo que estava grudado em uma das caixas.

— Este bilhete veio junto com o caminhão que deixou aqui.

Eu peguei o bilhete que dizia: "Para você".

— Não foram os Correios, eles só me pediram para assinar em seu nome e foram descarregando com pressa. — Mais um pigarro enquanto pensava na frase. — É alguma compra destas da internet? Meu sobrinho faz estas compras da China e fica aguardando durante meses para chegar. Coisa mais estranha. Do outro lado do mundo vêm as coisas. Deve ser por isso que o senhor não lembra.

Nada respondi e o velho ficou observando as caixas, entretanto sem muita curiosidade como eu. Na verdade, ele apenas se retirou para o seu canto e me deixou lá. A última coisa que disse foi para subir logo, pois ele teria de fechar o armazém para ir embora. Assim eu fiz. Passei a noite do dia 17 de junho subindo as encomendas. A princípio não eram pesadas, mas depois da quinta caixa, os meus braços e pernas já pediam descanso. Terminei quase às 21h30.

Eu me joguei no sofá ainda suado e respirei um pouco. As pilhas formavam uma cidade de papel. O meu olhar era de surpresa e raiva. Eu não sabia de onde estava vindo tudo aquilo e quando parei para pensar mais atentamente eu peguei o bilhete.

A letra me era familiar, mas de quem? E por que só um "para você"? Foi aí que eu tive um estalo. Jonas!

O favor que ainda não aceitei, mas tinha feito. Só podia ser sobre que ele estava falando. Estas encomendas pareciam com as caixas que estavam no galpão mais cedo. Será que ele tinha feito aquilo? Mandou as coisas dele para o meu apartamento sem a minha autorização?

Ah, claro que sim! Era do Jonas que estava falando, não poderia esperar muito.

Eu fiquei tão possesso de raiva que me levantei xingando e comecei a caminhar pela minha sala, parte da cozinha e o quarto. Não poderia ficar com aquelas coisas. Cheguei a pensar jogar tudo lá de cima. Nas minhas andanças revoltado quase entrei no cômodo que nunca entrava. Cheguei a ir até a escada que descia para os outros andares no corredor e fiquei tentado a jogar todas as caixas pela escada. E se fosse algo sério? Isso chamaria a atenção das pessoas, as quais não era a minha intenção para tal. Fiquei por minutos tentando pensar em algo mais racional, até que ouço novamente os três *toc-toc-toc*.

— Não pode ser mais caixas!

Resmunguei caminhando até a porta. Abri de leve, mas a mão do lado de fora a escancarou.

— Você?!

— Estava esperando visita? — ele perguntou com um sorriso sacana no canto da boca.

— O que você está fazendo aqui? — perguntei sem acreditar.

— Olha, cara, se eu dissesse a metade... — Ele foi entrando em minha sala.

Minha indignação era tamanha que nem reagi da forma como deveria ou sempre pensei se estivesse frente a frente com ele em minha porta. Para falar a verdade, não tinha pensado em nada.

— Hum... Vejo que chegaram da maneira que eu imaginei. Bem a tempo.

— Estas caixas são suas?

— Sim — falou, examinando o material.

— E por que enviou para mim? — continuei, ainda mais indignado.

— E para onde mais eu mandaria? — Ele me ignorou. — Mas não se preocupe, não vão ficar aqui muito tempo.

— Espere... Você mandou para mim e ainda me manda não me preocupar porque vai tirar daqui? Você é mesmo muito abusado!

— Eu sou? É isso o que fala de mim? — Foi em direção ao sofá, mas antes que pudesse chegar eu entrei em sua frente.

— Eu não quero estas coisas na minha casa! Não quero você na minha casa! Pegue tudo isso e suma daqui! — vociferei de uma forma irreconhecível.

— Nossa, você é muito nervoso. Sabia que eu já fui assim? Desde que fiz terapia melhorei bastante. — Suspirou bem na minha frente e retirou um cigarro do bolso acendendo com um isqueiro prateado. — Eu que não quero ficar igual a você, tão controlador de tudo. É assim com os seus amigos?

— Vo-vo-vo-você não me conhece! Quem pen... pensa que é?

Gaguejei. Nem sabia que gaguejava, no entanto, creio que a raiva era tamanha que meu cérebro não conseguiu expressar bem, só tive tempo de esconder a calcinha em cima do braço do sofá.

— Relaxa! Eu estou indo embora. E pode deixar, virão recolher tudo isso amanhã pela manhã antes de você ir para o trabalho. Fique mais tranquilo. — Piscou o olho para mim e foi até a porta baforando a fumaça de seu cigarro.

Antes de passar pelo limiar, deu uma última olhada para mim segurando a porta, com o seu olhar debochado, sua blusa solta da LACOSTE, calça jeans Del Tore e seu tênis branco Nike; o puro exemplo da moda consumista do nosso século.

— E, cara — ele me chamou já fora do meu apartamento —, conto com você. É o que a minha psicóloga sempre me dizia: relaxa.

Eu bati a porta e fiquei imóvel sem emitir algum som. Meus dentes batiam. Meus olhos quase saltavam de suas órbitas. Meu sangue fervia, meu coração batia além do normal e minha respiração ofegava. Como ele teve coragem de ir a minha casa? Como ousava mandar as coisas toscas dele para mim? E os amigos do trabalho? Eu estava sendo usado? Meu ódio crescia com a arrogância e deboche de Jonas. Maldito seja ele!

Profanou meu lar, meu santuário onde me escondo das coisas impuras desta sociedade falsa. Não iria conseguir dormir. E antes que eu pudesse sair do meu estado de transe ouço novamente o *toc-toc-toc*. A noite estava prometendo. Ô segunda-feira estranha que eu estava tendo!

Hesitei por uns instantes até que abri a porta. A falta que um olho mágico faz nestas horas...

— Andressa? — pensei em voz alta.

— Acho que deixei uma coisa minha aqui.

Em seu rosto um olhar de menina-mulher. E não era a uma carteira que ela estava se referindo.

CAPÍTULO X

Homens Vinagre

Os animais têm por instinto chamar a atenção do sexo oposto. Aves, felinos, caninos, são todos bem característicos quanto à dança da atração do outro sexo. Geralmente, as fêmeas carregam uma beleza para deixar bem claro para o macho alfa o que elas têm e são. Em alguns casos, os machos são os detentores desta ostentação, como a juba do leão. O homem sempre se encantou com os cabelos das mulheres, porém, com o passar dos tempos, os atributos a serem apreciados foram modificados e muitos novos criados.

Nos dias de hoje, o homem passou a deter também de atributos artificiais para serem escolhidos pelas fêmeas e estas também criaram novos jeitos e maneiras. A exemplo disso estão as roupas e as maneiras diferentes de serem usadas.

Andressa estava usando short jeans com fiapos saindo das suas pontas e uma meia-calça azul com alguns furos revelando sua pele alva. Tênis rosa com cadarço azul-claro. Blusa clara com um desenho de uma coruja feita com tinta e miçangas por ela mesma. Os cabelos presos por fitas que dava um ar de moleca e seus óculos eram grandes e coloridos. Andressa era um misto de seus gostos e da mulher linda que era. Uma jovem menina-mulher, como sempre a chamei.

Como já sabem, ela customiza tudo que usa, como exemplo posso citar o short jeans dela que, antes, era uma calça. Eu me peguei a admirá-la.

— Posso entrar?

Eu fiz que sim com a cabeça e saí da frente. Ela entrou e logo reparou nas pilhas de caixas.

— Acho que deve está ocupado, não é uma boa hora?

— Não são minhas! E claro que não está atrapalhando.

Metade era mentira.

Ficamos de pé um de frente ao outro, em silêncio. Ela com os dedos das mãos trançados, unhas não pintadas. Já contei que Andressa tem a mania de roer as unhas desde os seus catorze anos de idade? Sim, sua vaidade é limitada quando chegamos às suas unhas. Sempre foi de usar pouca maquiagem, mas nas roupas era a estilista da faculdade.

— Posso sentar? — perguntou com sua voz ainda baixa.

— Ah, claro, desculpe! Que distraído eu sou.

Apontei o sofá perto de uma das pilhas de caixas. Ela sentou. Estava tão atordoado com a visita nada esperada, desejada ou possível de Jonas que me esquecia da calcinha preta e minúscula no braço do sofá. Ela a encarou e voltou seus olhos para mim.

— Desculpe, eu estava guardando para você.

Eu peguei a calcinha e a entreguei.

— Sim, no braço do sofá — ela soltou e pegou sem falar mais nada.

Era impressionante como ela estava aparentemente bem, mesmo tendo encontrado o Jonas no caminho. O prédio velho e antigo que moro não tem duas saídas, e no tempo que ela levou para bater à porta as chances de terem se encontrado nas escadas eram imensas. Exceto, é claro, que Jonas tivesse descido correndo, saltando degraus como uma criança afobada e a Andressa tivesse bem mais que miopia em seus olhos e seus óculos tivesse caído. O que aumentariam as chances de não terem se encontrado.

Fiquei com a dúvida, mas não seria prudente perguntar e acabar com o clima que já estava estranho depois da calcinha e da minha reação tão inesperada. Eu tinha a desculpa da raiva em meu corpo causado pelo Jonas, entretanto, ela não sabia disso. Tinha de lidar bem com as coisas.

— Eu não a esperava. — Tentei iniciar um diálogo.

— Se não me esperava, por que mantinha minha calcinha no braço do sofá? Exposição?

Andressa era esperta e mais uma vez ela me deixou sem palavras.

— Intuição? — Só me veio isso em minha mente perturbada.

Ela sorriu. A paz me tomou.

— Você tem andado estranho.

— Não eu, coisas estranhas têm acontecido — eu me abri.

— O estranho às vezes é bom. Só é estranho enquanto não conhecemos.

Eu sentei ao lado dela. Devo admitir que aquele papo dela me pegou e quase me convenceu se o estranho não tivesse a ver com o Jonas.

— É, nem sempre — suspirei.

— Dia estressante?

— Com surpresas desagradáveis — respondi sem pensar.

— Acho que devo ir embora.

— Não! Por favor, você não está incluída nisso!

Ela sorriu mais uma vez. Parecia perceber meu nervosismo. Como sempre Andressa era inteligente e sensível.

— Eu esperei algum contato seu, mas você não escreveu.

— Desculpe, a semana toda foi uma loucura e não tive tempo.

Mais uma vez menti.

— E me parece que cheguei aqui em um mau momento, tô vendo que está envolvido com as suas coisas. Devo voltar outra hora? — perguntou docemente.

— Claro que não — menti pela terceira vez.

— Olha, não precisa mentir. Eu volto outro dia.

Ela se ergueu e foi para a porta, onde parou e me aguardou para abri-la.

— Não tem problemas. Eu sei que tem muita coisa para fazer. Volto outra noite, sim.

Eu acenei com a cabeça, pois ela tinha sacado tudo desde o início. Eu abri a porta para ela.

— Obrigada pela calcinha! — agradeceu, segurando-a como uma bola. — Até... — Ela avançou e me deu um beijo no rosto.

Não sei por que, mas por um microssegundo eu esperei um beijo na boca. Se pudesse me ver naquele momento, acredito até que fiz um biquinho, que ficou vago no ar.

Fechei a porta. Eu a deixei ir com uma grande vontade de tê-la segurado aqui comigo. Olhei para as pilhas de caixas e sem respeitar o que seria do Jonas, abri algumas delas. Mais cartazes, panfletos, cordas, garrafas vazias, latas de spray de todas as cores possíveis, bandeiras do Brasil e camisetas com dizeres de ordem política. Eu me joguei sobre o sofá novamente e bufei.

Por que mandar estas coisas para mim? O que ele não tinha que não pudesse receber em sua própria casa? Eu nunca descobri onde ele morava. Na verdade, nunca precisei saber. Nem mesmo o endereço da Andressa eu descobri. Eu certamente não tinha muito interesse na vida dos outros. Era um observador, mas racional o tempo inteiro.

Mesmo sentindo a vontade de queimar todo aquele material ou jogar da janela da minha sala, não fiz. Mais uma vez fui racional e frio. Resolvi ir dormir. Eu me deitei.

O dia seguinte chegou com o sol que invadiu a fresta da minha janela e esquentou minha cabeça de tal forma que me despertou; dia 18 de junho. Levantei ainda sonolento e fui até a cozinha buscar algo para beber na geladeira quando ouço as batidas desordenadas à porta. Estranhei momentaneamente, no entanto, eu me lembrei do que se tratava quando me deparei com a primeira pilha de caixas.

Fui ver quem era.

— Bom dia, chefe! — Eu nada disse, com a cara amassada ainda. — Viemos buscar as caixas.

Olhei por trás dele e avistei mais três rapazes distintos. Esperei um pouco e depois abri a porta, autorizando-os a entrar.

— Obrigado, chefe! — outro falou.

— Estão todas aqui, chefe? — o terceiro perguntou.

— Parece que sim. Vamos levar todas agora, chefe — disse o último, erguendo com o outro a primeira pilha de caixas.

Levaram uns vinte minutos para descer todas para a calçada. Lá estava uma camionete de caçamba aberta esperando.

— Estava ansioso por essas belezinhas.

— Nem fale! Ninguém vai esquecer.

Eles continuavam conversando baixo entre si. Não tentavam esconder de mim, porém, toda vez que viam alguém na rua mudavam de assunto. Eu estava já na calçada com a minha cara de sono e, quando estavam levando a última caixa para cima da camionete, perguntei:

— Afinal de contas, quem são vocês?

Os três já em cima do carro se olharam e riram baixo.

— Somos os Homens Vinagre, chefe.

Não estendi o assunto, o "chefe" já estava me dando no saco desde o início. Eu me virei e subi de volta para o apartamento. A camionete foi ligada e levada dali.

Tentei não me atrasar. Como combinado, arrumei-me e fui trabalhar. Estava disposto a falar com o Jonas sobre o que aconteceu no dia anterior. Não iria extrapolar como passava em minha cabeça. Tampouco entraria com uma arma disparando no peito dos colegas de trabalho. Estava disposto a conversar sobre o ocorrido.

Em poucas horas já subia pelo elevador. Entrei e meu chefe havia entrado junto comigo. Soltei um "bom dia" antes que pudesse iniciar alguma conversa. Ele respondeu educadamente. Seguimos com a lentidão do elevador.

Não me pareceu satisfatório apenas o cumprimento, pois ele estava me olhando muito. Eu acertei. Segundos depois ele soltou:

— Vai precisar ficar até mais tarde hoje?

Eu o olhei e, antes de responder, pensei: será que ele quer que eu pague as horas de atraso de ontem? A bondade dele havia acabado.

— Não, acha necessário?

— Não, não quero atrapalhar, só perguntei para saber mesmo.

A porta se abriu. Nós saímos como dois estranhos e caminhamos para nossos respectivos lugares. Coloquei algumas coisas sobre a minha mesa e fui dar uma volta para ver se encontrava o Jonas. Alguns ainda não tinham chegado, assim como ele. As pessoas me olhavam mais do que o normal, talvez eu estivesse deixando transparecer a minha raiva. Por que ficar me olhando tanto?

Já tinha um tempo que reparava as pessoas falarem do Jonas e de seus trabalhos noturnos. Colegas de trabalho geralmente são fofoqueiros e se intrometem sempre que podem na vida dos outros. Utilizar-me destas informações era um benefício, mas confesso que quando somos o foco é completamente desagradável. E naquele dia estavam falando de mim pelos cantos.

E pude reparar isso durante o trabalho que quase não prestei muita atenção. Liguei o computador na primeira brecha do meu tempo e escrevi para o Jonas. Disse que não estava gostando nada do que ele estava me envolvendo. Seus planos, e sua cara-de-pau de colocar meu endereço para receber seus brinquedos, foram a gota d'água. Deixei clara a insatisfação. Porém, ele não me respondeu.

Não o vi durante todo o dia. Provavelmente estava ocupado com suas encomendas toscas e sua festinha na Candelária. Maldito era o Jonas! Maldito somos nós agora!

CAPÍTULO XI

Um Dia Antes de Tudo

É impressionante como cada pessoa tem seu ponto de vista. Assim, fica quase impossível criar uma base comum entre todas. Deve ser por isso que geralmente os humanos entram em guerras. Israelenses, franceses, palestinos, norte-americanos... Todos eles com suas visões diferentes de fatos não tão importantes.

Já parou para pensar que guerreamos em nome de nossos deuses? Não vejo lógica nisso, eu, um simples mortal, lutar, matar e morrer por um ser imortal e eterno porque outro carinha não o enxerga igual a mim. Se o próprio Deus se incomoda tanto com isso, por que não guerreia Ele mesmo? Afinal de contas, é Deus!

Não, as pessoas não param para pensar sobre isso e as guerras mais antigas são a que envolvem convicções particulares; religião.

Durante séculos a religião, seja ela qual for, vem deixando sua marca positiva e negativa em nossa sociedade. Mas relaxa, não estou dizendo que seja a responsável por tudo de errado. Somos nós, os homens e suas convicções tolas. Nós, ocidentais, somos tão toscos que matamos o Filho de Deus e depois demos uma data em nosso calendário para Ele, como se fossem outros seus assassinos.

Eu sei, é meio medonho isso tudo. Outro exemplo disso é a visão do céu. Para alguns povos, o manto enegrecido à noite, com aqueles pontinhos brilhantes, era nada mais que um lençol negro e tão velho que tinha vários furos. O que é, na verdade, o céu infinito com as estrelas a milhares de quilômetros daqui.

Mas, compensa discutir por isso? Vivemos cada um em sua própria ignorância. Viva a ignorância!

Fui para a casa de cabeça cheia. Tinha até me esquecido dos policiais que me cercaram e não prestei muita atenção no caminho. Para minha sorte, não fui encontrado por ninguém. Segui de cabeça baixa, pensativo.

O que o Jonas estava aprontando? Meu endereço?

Desconfiava de que ele estivesse envolvido com algumas coisas sérias. Ele provavelmente estava sendo usado por outras pessoas. Tinha certeza, política, visões políticas diferenciadas com pessoas de ânimos exaltados. Eu sabia que não era da minha conta, mas mandar as caixas para minha casa me tornou parte disso tudo.

Eu tinha de saber a razão.

Cheguei ao apartamento. Não tive surpresa naquela noite e comi algo para matar a fome e me deitei ainda pensativo. Entrei no Facebook e não tinha resposta do Jonas. Ele devia estar arquitetando algo.

Mas, logo o Jonas? Aquele tapado tinha aquela capacidade? O que podia fazer para descobrir? Observei o e-mail da Andressa e demorei a adormecer, pois no fundo estava com a esperança de que ela viesse me visitar como prometido. Não aconteceu. Ela não tinha me dito quando, então, seria no momento que menos esperasse. Eu dormi.

Dia 19 de junho, o dia antes de tudo. E quando digo tudo, é tudo mesmo. Explica o porquê de eu estar aqui no prédio em chamas, prestes a saltar.

Inacreditável como mesmo em meio às nossas decisões, que vão nos levar à própria destruição, não percebemos o caminho que estamos trilhando. E assim foi. A fumaça aqui está meio sufocante, mas parece que os resíduos que as fazem têm diminuído, pois quase nada sobe aqui.

Que bom!

Ou o fogo está diminuindo ou já queimou as coisas supérfluas e está agora nas vigas de sustentações e por isso não tenho mais que meia hora para tudo ruir e ir abaixo. Logo eu, que estou com pena de acertar algumas pessoas com o meu corpo, terei todo um andar esmagando-as. Hilário isso, mas como sempre são irônicas a vida e a morte.

Pois bem, vamos retornar para o dia 19 de junho, quarta-feira, o dia em que as coisas bateram em minha cabeça.

Eu me levantei cedo. O sono não tinha sido tranquilo. Comi um biscoito qualquer, não queria ir à padaria. Tinha de pensar em como lidar com as coisas em que o Jonas estava se metendo e pior, estava me metendo. Segui para o trabalho e lá busquei encontrá-lo. Nada.

Meu chefe me olhava de cabeça baixa toda vez que eu rondava pelo local. Nos corredores, encontrava colegas de trabalho cochichando algo sobre o Jonas e o evento. Pensei em perguntar por ele, mas não queria atrair a atenção deles para mim. Seja por precaução ou ego mesmo. E mesmo com estas questões em minha cabeça fiz o meu trabalho, ou parte dele.

As horas foram passando... Nada de resposta do Jonas, nada de mensagem da Andressa.

Impressionante, mesmo com a mente atribulada eu ainda tinha tempo para nutrir esperança em relação à Andressa. Como eu queria vê-la, distrair a mente, pedir ajuda ou sei lá.

Mas nosso encontro iria ser com aquele diálogo todo de um cara tímido. Na última vez em que esteve em meu apartamento, mal consegui falar com ela de tanta raiva que estava sentindo do Jonas.

Como o Jonas perturba a minha paz. Eu o odeio! Ele me contamina, e me tira do eixo só de saber de sua existência, de seus planos. Eu sempre fugi dos caminhos dele, no entanto em vão já que sempre esteve fazendo algo, envolvido em meu caminho. Minha faculdade, meu trabalho e ainda me apaixono pela ex-namorada dele. Minha sina?

Como odeio este nome. Coitado dos vários Jonas que existem na vida, pois devo trazer uma carga negativa para eles. O meu nome nem é o mais popular, Renato, mas não são muitos Renatos odiados por aí. Um nome mais popular e famoso foi Fernando. Tivemos dois presidentes recentes e um traficante! Ao menos um Renato foi muito grande no nosso país, Renato Russo.

Mas, o que é um nome popular? Marcos? Paulo? O nome mais popular do mundo — para sua surpresa —, não é nem um destes e nem o que você pensou, sim, Wong. Estranho, não? Mas se levarmos em conta que é popular em um dos países com mais seres humanos no mundo, nem precisa ser um mago da matemática para chegar a esta conclusão.

Não escrevi para a Andressa. As horas correram e por fim eu fui para a casa. Segui o mesmo caminho de sempre. Mais lento que o normal. A mente trabalhando como a um computador, uma pena que era um *386*, um dos computadores mais lentos, o que dificultava muito.

Jonas, evento, caixas com aqueles cartazes de ordem política; panfletos e materiais de divulgação. O que ele estava fazendo? Onde estava que não foi trabalhar?

Olhei para as pessoas andando pelo centro e tentei me inspirar para descobrir. Um monte de cabeças vazias, buscando apenas o trabalho, o dinheiro do fim de mês para gastar com coisas que não precisam. Certa vez ouvi um professor meu dizer que estamos condenados a fazer o que não gostamos e comprar o que não precisamos.

Viva o mundo moderno!

O mundo onde somos livres para comprar o que quiser dentro do que puder. A falsa sensação de liberdade e direitos iguais. Sim, o cacho de uvas está na árvore e todos nós estamos no chão, deixando bem por igual. Só que somos diferentes. Cachorros, aves, macacos e peixes. Será que é justo mesmo para todos?

Sei que quem conta a história é o vencedor, neste caso, o capitalismo venceu. Não estou criticando o sistema no qual cresci e fui criado. Que me permite almejar coisas desnecessárias que fui criado a amar. Mas não é normal não questionar vez ou outra isso tudo.

Ou realmente é certa esta desigualdade toda?

No Brasil, temos as maiores taxas e impostos do mundo e não vivemos com a qualidade de uma Suécia. Temos belezas naturais que não são para todos. Já tentou ir para um cartão postal, destes famosos? É o olho da cara.

Mas, calma, o governo cria os programas de período promocionais e preços baixos para a população que não tem tanto poder monetário. Um exemplo é o Cristo Redentor, que os períodos de promoção são coincidentemente nos períodos de tempos nublados, onde só conseguimos ver os pés da estátua que permanece ali, parada.

Estas coisas passam por minha cabeça sempre que ando entre as pessoas. A multidão solitária que é este mar de pessoas. Não sei para onde vão e nem de onde vieram. Fico curioso. O que elas estão fazendo? Quem são? Mas, sempre tive medo de me aproximar delas. Estranhas, ou não tão estranhas, sempre preferi ficar mais na minha. E como o destino, ou a casualidade, queria minha participação no meio deste meu conflito na observação, um pequeno pedaço de papel branco com um texto chamativo colou em minha testa.

No Rio sempre recebemos papéis de serviços, casas noturnas, mensagem política. É normal ficar preparado para receber e guardar. Eu sei, é muito chato, e não consigo jogar no chão, então volto para casa com os bolsos repletos destes papéis e jogo fora. Como também é terrível usar os orelhões telefônicos no centro do Rio, que é repleto de fotos e propagandas de sexo barato com travestis.

Hoje, quase ninguém usa um orelhão, e acho que no centro serve apenas para divulgar os telefones destes serviços sexuais. No entanto, o papel que colou na minha testa me chamou a atenção. Eu o peguei e me surpreendi.

O texto convocava as pessoas para a concentração na frente da Candelária para lutar pelo país. Aquela cor branca do papel e a tinta preta com ranhuras no fim de cada letra... Eu passo oito horas do dia lidando com papel e processos. Conheço muito bem cada papel e impressora do meu andar para saber quais são as ranhuras que deixam em cada impressão. Sou meticuloso quanto à observação, já devem ter notado. O estalo na minha cabeça me fez parar. As pessoas que vinham atrás de mim desviaram se queixando pelo freio brusco.

— Ele tem ficado até mais tarde para imprimir estes panfletos!

Meus pés giraram no chão e voltei por onde vinha. A noite iniciava, não sabia muito bem como iria conseguir entrar caso já estivesse fechado, mas se o Jonas conseguia, eu também conseguiria. Aumentei os passos e voltei. Em poucos minutos cheguei, a porta ainda estava aberta, caminhei para o elevador.

O segurança da noite nem me olhou, fiquei meio sem graça.

— Eu vou buscar umas coisas lá em cima — avisei antes que me abordasse, mas parece que ele me ignorou.

Ele não fez menção nenhuma de responder. Segui para o elevador apertando compulsivamente o botão do meu andar. Continuei como se a cada pressionada do meu dedo o elevador aumentasse sua velocidade. Logo cheguei. Segui o corredor já escuro até o salão onde ficava a minha mesa e a dos demais colegas.

Uma luz invadia a entrada. Era uma luz em movimento reto e contínuo sendo interrompida e voltando ao início. Eu adentrei o salão e vi o que desconfiava. A copiadora ligada com uma pessoa ao seu lado, próximo às pilhas de resmas e papéis já cortados pela lâmina do escritório.

— Você aqui? — soltei com o misto de surpresa e irritação.

— Na verdade, agora somos nós! — respondeu, sem olhar para trás.

A fumaça de um cigarro subia por sua cabeça.

— O que você está fazendo? — E não tinha perguntado sobre o fato de fumar sobre os papéis em um trabalho público.

— A mudança, meu caro. Estou fazendo a mudança. — Ele se virou para mim, pondo mais uma resma de papel na máquina e dando uma piscada de olho.

Eu caminhei para perto olhando o quanto ele já tinha feito e todo aquele material gasto. Ai se o nosso chefe visse aquilo, pensei.

— Você está louco? Usando o material do nosso trabalho?

— Loucura? É loucura se sacrificar pelo que acredita? Então, meu caro amigo, somos loucos! E isso são somente papéis e esta máquina está fazendo apenas o que foi criada para fazer. Não está ligando para nada. Como nós dois aqui neste trabalho burocrático. Só vemos os papéis e não as pessoas neles.

— Mas o que você está fazendo é errado! Nosso chefe desco...

— Relaxa! Quem você acha que me entregou a chave? — Ele mostrou o molho de chaves do escritório e do andar todo retirado do bolso da calça jeans. — Ele não vai falar nada para ninguém.

— Ele está junto com você nisso tudo?

— Junto? Não, digamos que ele não teve escolha para isso.

O que o Jonas quis dizer naquele momento era que o chefe, há algumas semanas, foi pego roubando dinheiro do material do departamento para gastar com uma amante de vinte anos a menos que ele. É, realmente era um frustrado sexualmente, mas arrumou uma maneira de suprir sua necessidade como eu nunca pensei que tivesse capacidade. E o Jonas sabia disso tudo.

Ele precisava ficar até mais tarde, copiando suas coisas, e por isso sondou o chefe alguns dias até pegá-lo no ato. Uma chantagem vergonhosa, entretanto, muito inteligente e eficaz.

— Não reparou como o chato ficou mais bonzinho com a gente? — Jonas tirou o cigarro da boca e jogou as cinzas na lixeira ao lado.

— Chantagem! Você é maluco?

— Talvez... E quem não é? As pessoas lá fora andando pelas ruas, comprando suas roupas de marcas, desejando os carros modernos que veem em filmes? — Ele tragou mais uma vez o cigarro e puxou a estampa da sua camisa da LACOSTE. — Malucos são os que estão estagnados, meu caro. Loucos são os acomodados com essa vida.

Era estranho ouvir aquilo do Jonas. A pessoa que sempre achei fútil, idiota e consumista estava pregando coisas das quais eu também concordava.

— HB20, LACOSTE, Nike, o que são as marcas? O gado quando é criado para o abate carrega marcas no corpo para a identificação, meu caro. É o que todos nós somos hoje. Gado, criado para o abate do mercado quando já não somos mais úteis. Por isso que temos que fazer alguma coisa!

— Fazer alguma coisa? Do que você está falando?

— Mudança. O Brasil é um país grande e livre, mas a nossa alma ainda é colônia. Carregamos ainda as vontades de nossos antigos opressores. Nós nos rebaixamos aos novos impérios. Como vacas, ainda mugimos carregando os impostos, altos preços de tarifas, juros e o descaso com a saúde carimbada em nossa pele. Com ferro e fogo do peso do roubo! E agora, o povo está sendo oprimido pelos seus iguais que estão no poder, postos por nós! Vaca comendo vaca, meu caro!

— O evento da Candelária? — perguntei mais para mim. — Você acha que fará alguma diferença reunir um grupo de pessoas com cartazes e faixas?

Jonas sorriu, levando uma pilha de papéis para a mesa onde estava a lâmina para cortá-la.

— Onde estiverem pessoas dispostas a se sacrificarem, a ideia se torna válida. Podemos ser poucos, mas o que nos imortaliza são as ideias postas em prática. E, amanhã, entraremos para a história!

— Você é realmente louco! Vai cometer alguma loucura.

— Mentes incompreensivas são consideradas loucas, ou quando tememos alguma coisa chamamos os outros de loucos. A negação é o caminho mais fácil, meu caro. Não o culpo. Mesmo assim, ainda conto com você!

— Eu não vou me juntar a você! Essa ideia, como está realizando, é errada!

— A armadilha na guerra para matar os soldados inimigos não é?

Jonas refez o processo de colocar papel na máquina e a ligou novamente. A luz batia em seu rosto deixando uma silhueta desproporcional no teto claro. As luzes apagadas deixavam tudo mais estranho. O cigarro exalava fumaça que eu tanto detestava.

— Isso tudo tá errado!

— E o que vai fazer? Ligar para o nosso chefe? — Tragou o cigarro. — Se não vai ajudar, acho melhor que saia daqui. E tire uma folga o resto da semana.

— Uma folga? — perguntei, intrigado.

— Amanhã, a esta hora, não vai sobrar mais nada aqui, senão cinzas e fumaça! — Ele riu com o cigarro na boca.

— Você está pensando em tacar fogo no prédio?

— O prédio é a parte física, mas o fogo será o símbolo. O que ele vai representar valerá a pena. Agora, dê o fora se não vai ajudar! Vai! Suma daqui! E se junte às outras vaquinhas em seu curral intelectual!

Eu tive outra vontade. No entanto, mais uma vez me contive. Saí e fui embora. Não encontrei ninguém no caminho, nem mesmo algum segurança para perguntar se sabia o que estava acontecendo. Eu fui para casa.

O Jonas estava mesmo diferente do que eu conhecia, ou estava chamando a atenção com mais uma loucura? Ele queria talvez ficar conhecido, e como suas aventuras estavam ficando batidas, pensasse em inovar.

O Jonas era uma bomba. Um mal que deveria ser freado, parado, aniquilado.

CAPÍTULO XII

Andressa e o Fim

Eu cheguei ao apartamento tão pilhado que não tive outra reação, senão dormir sentado no sofá pensando no que fazer. Despertei mais tarde que o normal. Meu sono foi pesado e longo. Estava cansado e lento. Minha mente deve ter cansado o meu corpo, pois quando me dei conta era o meio da tarde da quinta-feira, dia 20 de junho.

Saltei para o relógio mais próximo que estava no celular e vi que eram 16 horas, havia perdido o dia de trabalho. Jonas ficou livre para os seus planos. Olhei para a minha varanda e vi que os meus vizinhos malditos fumaram mais cigarros que o normal. Não teria tempo para eles agora.

Quando reparei bem o celular, tinha também algumas mensagens e entre elas a de Andressa, dizendo que estava indo até o meu apartamento. Eu corri, com o cabelo desarrumado lavei o rosto e voltei a pensar no que poderia fazer. Peguei uma bala de hortelã, liguei o computador e fui pego por centenas, senão milhares, de mensagens de pessoas confirmando o encontro e com dizeres de luta, fim da corrupção entre outras coisas do tipo.

Os planos do Jonas estavam dando certo? O que era aquilo que estava se formando à minha frente. Eu sabia como Jonas estava fazendo, criando aquela ordem toda, tinha de fazer alguma coisa.

Com o rosto lavado e novas roupas pegas no quarto, estava pronto para sair de casa. Não sabia ao certo o que faria, mas algo deveria ser feito. Pensei em ir até a polícia, mas do jeito que as coisas são, um grupo de pessoas juntas, basta um ânimo mais exaltado para virar uma tragédia.

Não, falar com a polícia não era uma boa. Vai que encontro os dois policiais que haviam corrido atrás de mim? Não, eu tinha que fazer algo, mas por conta própria. Peguei a carteira, o celular e fui para a porta. Quando abri, dei de cara com ela.

— Andressa? — perguntei, surpreso.

Ela ainda estava com a mão no ar antes de bater.

— Vim em má hora? — perguntou com aquele jeitinho encantador.

— É... Não... Pode entrar — menti mais uma vez, torcendo para que não percebesse.

Ela entrou e foi para frente do sofá.

— Acho que você estava de saída.

— Nada sério. Pode sentar, por favor!

Ela sentou e ficou me observando.

— Desculpe! — Respirei fundo e sentei ao seu lado. — Estou com a cabeça cheia.

— Imagino que sim. Afinal de contas, é hoje o grande evento.

— Está sabendo também? — perguntei ingenuamente.

— Sabendo? Todos que eu conheço estão sabendo. Só dá esse assunto na internet — ela falou rindo.

Confesso que a presença dela, no meu apartamento, levava tranquilidade. Em meio às tantas coisas que estavam acontecendo, e minha cabeça explodindo para saber o que fazer, ela estava lá, com sua beleza radiante e seu jeito de menina-mulher que eu tanto adorava.

O que fazer? Mandar a garota da minha vida embora para resolver um problema que nem era meu? Ou ficar, esquecer os acontecimentos e curtir uma quinta-feira em casa com ela?

— É. São muitas coisas acontecendo em relação a isso. E o meu dia de trabalho já estava perdido.

— E ainda pensa em trabalhar? — perguntou, espantada.

— E por que não?

— Você já saiu hoje? Dê uma olhada pela janela!

Eu a encarei por uns segundos e fui até a varanda repleta de guimbas de cigarro. Olhei para a minha rua estreita e vi um pequeno grupo de pessoas passando. Não era normal no meio da semana, mas ao observar mais longe, nas ruas mais largas, eu não via tantos carros quanto pessoas.

— O que está acontecendo? — perguntei mais para mim que para ela.

— O "grande evento". Para aqueles que pensaram que não daria em nada, vão ficar de queixo caído. Eu quase não cheguei aqui. Os ônibus já não estão passando e a pé está complicado.

— Eu preciso fazer alguma coisa.

— Fazer o quê? Não há o que fazer. As pessoas já estão saindo por conta própria. As bandeiras nas janelas e os gritos de ordem já tomaram conta de todo o centro. Eu quase não consegui chegar aqui, não ouviu?

Naquele momento eu parei para pensar. Andressa fez um esforço para chegar até a mim. Havia sentimento nutrido por mim?

— E você fez este esforço para chegar aqui?

— Não devia? — Sua sobrancelha ergueu. — Não gostou?

— Eu adorei.

Andressa ficou de pé e foi para perto de mim, à janela.

— Você está mudado. Eu estou gostando disso.

Seus braços enroscaram meu pescoço e sua boca ficou atrás de meu pescoço. A intimidade com uma mulher já era remota, no entanto não era uma mulher qualquer. Era Andressa.

Meus pelos dos braços se arrepiaram, minha boca ressecou e meu corpo a desejou. Segurei suas mãos e me virei para ela. Mudado, eu? Pode ser! Talvez tão sutil que nem eu tenha percebido, somente ela. Fiquei frente ao seu rosto mais abaixo do meu. Seus olhos castanho-escuros por trás de suas lentes grandes me encaravam. O brilho era anormal.

Estava de saia longa e leve branca, com desenhos feitos por ela mesma. Blusa preta básica, permitindo parte de sua pele pegar a luz. Seus cabelos com pequenas presilhas coloridas que chamavam a atenção. Linda!

A menina da faculdade estava linda e enroscada no meu pescoço. Havia me esquecido do Jonas, ou estava apenas forçando a fazer isso. Eu estava sendo usado ou não, mas meu corpo a queria. Eu a desejava mais que antes. Era real tudo aquilo que passava na minha imaginação.

— Eu sempre a imaginei aqui, assim.

— A saudade faz isso, às vezes — ela respondeu, aproximando-se do meu rosto.

— Não sentimos saudade daquilo que não tivemos.

Seu sorriso meigo preencheu a minha visão. Seus lábios foram de encontro aos meus. Suas mãos foram ao meu rosto, puxando-me para perto dela. Eu a segurei firme pela cintura e nuca. Minha língua se encontrou com a dela. Senti seu gosto, bebi de seu mel puro e quente que era passado para mim.

Meus dedos se entrelaçaram em seus cabelos por trás de sua nuca. A respiração serena tornou-se ofegante. Nossos corpos se encostaram à janela, e andamos meio desajeitados para os lados, seguindo a parede até o meu quarto. Os beijos eram quase sem intervalos. Longos e suculentos como devem ser.

Suas mãos brancas me namoravam, e os meus dedos seguiam a geografia de seu rosto.

A porta estava aberta, caímos por cima da cama quase que para fora. Beijei ainda mais seu rosto, as maçãs, as covinhas, seu nariz. Enquanto ela sorria e respirava forte. Suas mãos foram para a minha cabeça e me empurraram para baixo, em cima do início de sua saia. Pude beijar seu umbigo, sua pele branca e linda.

Andressa me forçou mais para baixo e deixou minha boca sedenta em cima de sua lingerie. Eu ergui sua saia e pude ver a calcinha rosa e pequena. Seu cheiro de sexo me inebriava e seduzia. Minha língua roçava por cima do tecido, buscando o gosto de seu corpo ainda mais.

O sonho estava se realizando. Minha carne e limitações estavam sendo superadas. Eu estava me sentindo vivo e voraz. Estava me sentindo poderoso. Meu corpo estava mais do que vivo, estava amando. E sentia ser amado e desejado. Eu não queria parar. Muito menos a Andressa.

Mas, nem tudo é perfeito. Um rojão solto por algumas pessoas do lado de fora explodiu próximo à janela. Gritos e correria chamaram a nossa atenção. Eu fui roubado do transe onde estava, e mesmo com parte do mel de Andressa em minha boca, eu parei.

— Eu preciso parar isso!

— Parar? Eu não quero que pare! Continue!

Eu fui me colocando de pé, enquanto Andressa me encarava com espanto.

— Eu preciso parar isso tudo!

— Parar? Você está louco? Agora é tarde!

Eu ajeitei minha roupa que já estava totalmente aberta e fiquei de pé.

— Não, eu tenho de pará-lo. As coisas vão sair do controle! Não posso deixar que ele saia impune!

— Ele quem? Do que está falando? — ela perguntou abaixando a saia, um pouco desconcertada.

— Ele vai incendiar o prédio onde trabalhamos! Não posso permitir isso. Não vai adiantar falar com a polícia a essa hora. Se o trânsito já está ruim agora, eles não chegarão a tempo.

— Mas, e o evento? Nós não vamos? Falta pouco mais que uma hora! — Andressa falou, sentada na cama.

— Eu não vou! Nunca pensei em ir!

— Do que está falando? Combinamos de ir juntos! Você me convenceu a ir!

Eu não fazia ideia do que ela tinha acabado de dizer, mas confesso que gelei. Do que ela estava falando?

— Eu a convenci? Eu fui convidado há poucos dias para este evento idiota!

— Você deve está ficando louco! Primeiro, você não me procura depois de anos. Segundo, não me procura depois da nossa transa dizendo que estava ocupado com o seu grande evento político. Agora está dizendo que não me convenceu?

— Nós transamos? Do que está falando?

— E me convence a vir para cá pra irmos juntos! — insistiu.

— Nós transamos?! — Eu quase gritei.

— Sim! — Ela respondeu no mesmo tom. — Você acha que deixei a minha calcinha aqui por quê?

— Você tirou e só!

Mais uma perturbação invadia a minha mente. Como a Andressa poderia estar inventando tudo aquilo sobre mim?

— Quer saber? Vamos logo para a Candelária, senão vamos chegar atrasados e não vai ficar bem para você.

Eu caminhei até ela, que já estava ficando de pé.

— Eu preciso ir até o meu trabalho. Impedir um incêndio. Eu não vou a evento nenhum.

— Só pode ser sacanagem sua! Você me convenceu a fazer isso e vai desistir?

Eu já estava frente à porta, abrindo, quando ela veio para sair junto comigo. As coisas não faziam sentido para mim. Eu não estava entendendo do porquê de ela estar agindo daquela maneira, mas como um raio, um choque, ou melhor, uma pedrada, veio uma louca ideia. Eu a segurei nos ombros, impedindo que saísse e perguntei:

— Com quem você acha que está falando?

Andressa me olhou nos olhos e falou pausadamente:

— Com você, Jonas.

CAPÍTULO XIII

De Volta ao Topo

O problema de quando o centro do Rio está lotado por pessoas caminhando é a locomoção. Geralmente centros urbanos não são feitos ou planejados para pessoas, sim, veículos. Imagine então as calçadas finas e pequenas repletas de pessoas e carros que sobem para estacionar.

Quando saí do meu apartamento, com a resposta da Andressa latejando na minha mente, levei bastante tempo para chegar ao trabalho. Os carros parados, pessoas marchando e eu tentado furar a multidão. Mulheres, homens, idosos, crianças. O movimento havia crescido de tal forma que eu não estava acreditando.

De longe, cheguei a ver algumas viaturas escoltando a multidão. A coisa estava mesmo imponente. Nada do que eu veria, algumas horas à frente.

Por que ela me chamou de Jonas? Estava me comparando? Queria me irritar com isso? Não conseguia encontrar uma resposta válida para isso enquanto andava apressado por entre as pessoas. Geralmente levaria pouco mais que vinte minutos, mas com algumas ruas fechadas por pessoas, levei quase quarenta.

Os lojistas já desconfiavam da aglomeração e fechavam antes da hora. Temiam por tumultos que quase sempre quando ocorridos há os vândalos que tentam saquear. Minha mente carregava uma desconfiança de algo lógico, mas eu teimava em ignorar.

Levei o tempo longo para chegar até o meu emprego. Quando cheguei tive a informação na portaria de que os funcionários tinham sido liberados uma hora antes, devido às informações sobre o tumulto que se formava no centro. Falei com o segurança, um senhor barrigudo, que da última vez me permitiu entrar sem muitas perguntas e riu quando me viu. Respondi com um sorriso falso e sinalizei que subiria, ele assentiu.

O elevador fez o trajeto com a mesma velocidade, mas levou o tempo maior que antes; pelo menos, em minha cabeça. As luzes estavam apagadas. Os corredores desertos. Corri até o salão onde havia encontrado o Jonas, próximo à máquina de cópias. Nada. Estava deserto e em silêncio.

Caminhei para os lados, observando tudo, e não tinha sinal dele, até que ouvi um pigarro atrás de mim. Jonas estava sentado na mesa do chefe, um pouco mais afastado de nós, separados por uma parede de vidro.

— Você... — Respirei fundo. — Não vai queimar nada.

Jonas estava sentado com as pernas em cima da mesa, uma posição arrogante. Descruzou-as e se endireitou.

— Estava faltando apenas você, meu caro.

— Eu? O que pensa que eu vou fazer? Ajudar?

Jonas se colocou de pé e caminhou até a mim. Antes, abaixou e pegou um galão de gasolina e começou a derramá-lo no chão e nas mesas.

— Claro que eu não poderia fazer sem você. E se não for ajudar, pode ficar observando daí mesmo.

— Você está louco? Pare com isso! Isso é crime!

— Não me venha com essa agora. Estamos marcando a história. Fazendo com que ela mude de direção.

— E queimar o prédio faz tanta diferença assim? E as pessoas inocentes que estão aqui?

Ele terminou jogando o restante da gasolina em cima da máquina copiadora, nas divisórias, nos tapetes, armários e tudo o que pudesse incendiar. Por fim, puxou o cigarro do bolso e o acendeu, dando uma tragada.

— Inocentes? Quais inocentes? Não há inocente nesta sociedade vendida. Somos partes de um único esquema, o da compra e venda. Será que você não entende? Este consumismo, esta meritocracia covarde e a ilusão dos direitos. Você não tem de ser o que querem que seja. Você não deve ser uma marca, um produto! E nem desejar ser especial, uma modelo de trinta quilos, um *rapper* com cordões! Não, você não precisa ser algo que o mercado tenha de construir!

— Olha o que você está dizendo! Suas roupas, marcas e luxo sempre esnobando os outros pelo que tem.

Jonas gargalhou. Tragou o cigarro e soltou uma fumaça no alto.

— Eu me transformei no que desejavam de mim. Você acha que trabalhando aqui, temos dinheiro para usar as minhas roupas? Jaqueta, calça e tênis caro? Meus óculos escuros custam mais do que as compras de casa de muita gente, meu caro!

— E como consegue ostentar o que não é? — perguntei, intrigado.

— Eu pego. Tomo daqueles que são nossos verdadeiros opressores, colonizadores. O que eles perderam com isso? — Ele gesticula com o cigarro.

— Você rouba?!

Eu me sentei à mesa atrás de mim.

— Não, pego o que eles nos oferecem! O que acha que passa pela cabeça de uma criança, quando aprende com as músicas, filmes e cultura exploradora que só será gente se possuir um carro caro? Nas músicas com ostentação de ouro, cordões, mulheres! Como você acha que ela vai buscar isso, que é apresentado tão facilmente em sua realidade? Isso é ilegal! É covardia com as nossas crianças! Valorizam um Camaro amarelo! Muitas mulheres, jogadores de futebol! Como querem um país grande, se valorizam jogadores que mal completam o ensino médio? Cantores fabricados, com músicas com validade de duração e assuntos vazios sobre a vaidade humana? Isso, sim, deve ser proibido.

Ouvir o Jonas dizer tudo aquilo começava a fazer sentido. Nada que justificasse o seu ato louco, mas, no fundo, era racional.

— O que vemos na TV todos os dias é a valorização da mediocridade — prosseguiu —, a miséria educacional crescendo a todo momento. Movimentos que ganham parte no bolo social e que vêm tomando cada vez mais espaço.

— E tudo isso é para provar que esta ostentação covarde está errada? Por isso você quer incendiar um prédio com centenas de processos?

— Não! — Ele se sentou à mesa, à minha frente. — Abra seus conceitos. Não se trata disso. O prédio é apenas um símbolo, concreto e ferro repleto de papéis! Estes, sim, são representativos em sua perda.

Jonas estava verdadeiramente decidido. Eu não imaginava que aquele cara vaidoso da faculdade, que teve a cabeça arrebentada por uma pedra era capaz de pensar estas coisas sérias.

O vazio Jonas era bem mais do que se via? Por que tipo de lavagem cerebral ele passou? O cheiro da gasolina fazia arder minhas narinas. Eu me coloquei à sua frente, próximo à porta, e enrijeci os punhos.

— Eu não posso deixar que você faça isso.

Jonas também se ergueu e jogou fora mais cinzas do cigarro.

— Você vai fazer o quê, vai me impedir?

— Eu... vou... vou... vou... tentar.

Minhas palavras não passaram essa impressão.

A gargalhada do Jonas foi grande e desdenhosa. Seu ar de deboche e arrogância invadiu o salão vazio e parcialmente escuro.

— Desculpe, meu caro, mas não vai ser possível isso. Pois não sou eu quem está segurando o galão de gasolina, sim, nós.

Meu olhar foi perplexo e confuso. Como assim, nós? Foi aí que senti o peso do meu corpo pender para o lado direito. Quando observei, vi o galão de gasolina pela metade. Eu me assustei e joguei para o lado.

— O que é isso? Como você fez isso? — perguntei, apavorado.

Ele devia ter feito algum truque, pensei na hora. Um truque dos bons que me deixou tremendo de medo. Ou seria alguma droga que o desgraçado me injetou?

— Ainda não entendeu? — perguntou, calmo, muito contrário de mim. — Você foi o problema que tive e aprendi a conter durante anos.

— Problema? — perguntei.

— Sim. Problema que me custou anos de terapia e que, por fim, consegui esconder durante anos.

Fechou os olhos e suspirou, como um mantra.

— Não estou entendendo. Do que você está falando? — Ainda confuso e apavorado, perguntei.

O cheiro da gasolina estava impregnado em minhas mãos.

— Não entendeu? Você é o Jonas! — afirmou.

— O quê? Do que está falando? — gritei.

— Você, eu, somos o Jonas. A mesma pessoa!

— Isso não faz nenhum sentido. Você é o Jonas, eu sou o Renato! Por que está dizendo que somos a mesma pessoa?

Ele estalou os lábios com a língua, um gesto de negação e foi caminhando ao meu redor.

— Observe bem, meu caro. Preste atenção nos fatos. Você diz que o meu nome é Jonas e, o seu, Renato. Mas você não existe por si só. Você sou eu, ou uma parte de mim. Meu subconsciente que há muito me perturba e tenho aprendido a esconder. Um lado meu controlador e chato.

— Você é louco? Eu existo! Eu sou uma pessoa!

— Não, não é! Seu nome já diz tudo! Observe bem, Renato, seu nome vem de um cantor de Rock dos anos 80! Você não existe, e está tão morto quanto o dono desse nome!

Um soco no estômago que não existe me abateu, minhas pernas fraquejaram. Meu ódio se converteu à confusão e sentimentos mistos. Eu caí sentado na cadeira mais próxima. Minha boca que não existe secou. Os lábios que não existem tremularam. Meus olhos que não existem piscaram compulsivamente.

— Mas eu tenho amigos, tenho uma vida! — falei, ainda perturbado.

— Não. Você, no caso, eu, criou uma vida imaginária. Você, na verdade, é meu outro lado que desperta sempre que me desligo.

— E os meus amigos do curso? Rô, Val e Diego? Criações minhas?

— Rô? A comilona? É um elefante de pelúcia no quarto abandonado do meu apartamento. Val, uma coruja que ganhei quando criança. E o Diego, o tigre sábio e tranquilo que temos desde os vinte e três anos de idade.

— Não é possível. Eu trabalho aqui!

— Não... — Ele caminhou até a minha mesa, puxou a gaveta e retirou a placa de identificação que nunca gostei de expor sobre a mesa. — Qual é o nome que está aqui?

Pude ver perfeitamente; Jonas. Não era o meu nome. Não era eu.

— Nunca se perguntou por qual motivo nunca colocava a sua identificação?

— A Andressa, então...

— Ela foi minha namorada. Brigamos, ficamos um grande tempo sem nos ver, até que ela veio a você pedindo um favor, acreditando que tivesse mudado. E, sim, nós transamos muito naquela noite. Você pensou tê-la visto ir embora, mas eu assumi naquela noite.

Cada palavra, cada informação, deixava-me tonto. Eu não sabia ter as minhas palavras, ter uma resposta, só ficava ligando um ponto ao outro daquilo que ele me falava.

— Suas pastilhas de hortelã, acha que é devido ao quê? Eu fumo! Seus colegas de trabalho falam de mim o tempo todo! Os policiais o perseguiram porque sou eu quem invade as lojas de grife! Eu fiz tudo isso! Nosso chefe mudou o comportamento com você, porque eu o fiz assim! A chantagem foi nossa!

Vi a placa. Minha mesa não era minha. Eu, na verdade, naquele momento, estava vendo tudo com os olhos dele e não com os meus. Eu não sabia controlar nada daquilo, caso pudesse, mas entendi que seria possível em algum momento.

Ele havia aprendido a saber tudo sobre mim, tudo sobre o que eu fazia, mas por que não me eliminou de vez com algum remédio ou tratamento? Talvez ele não tivesse esse poder ainda. Talvez eu fosse um lado reprimido dele. Um lado que precisou sair, libertar-se.

Eu não era real?

— Agora, a maior façanha que realizaremos está começando. Em menos de uma hora teremos a marcha pela ordem! Pelo fim da corrupção! Nós conseguimos realizar isso. Eu consegui. Desde aquela pedra, você de alguma forma conseguiu se libertar de mim, por isso nunca teve memória concreta de sua infância, de seus amigos.

— Meus amigos do curso eram os bichos de pelúcia que ficavam nos cômodos sem uso do apartamento?

— Sim. E como acha que chegou correndo dentro do galpão com todo aquele material? Como acha que conseguiu entrar? Achou mesmo que estivesse aberto? Você tinha a chave o tempo todo!

Meus pés estavam ficando no chão a cada palavra. O período de negação estava passando e a aceitação dos fatos me consumia de forma lenta. Não tinha como lutar, mesmo que parecesse ser tudo aquilo uma loucura.

— Por isso eu ficava cansado? Permanecia aqui toda noite, depois de todos, preparando tudo? Eu escrevia para mim mesmo quando pensava que estava conversando com você? O endereço do meu apartamento não foi um engano, era o seu endereço! E os homens que foram apanhar o material que foi entregue me chamavam de chefe.

— Sim, nós somos o chefe deles, deste evento que tanto prezei. Claro, conheci pessoas, fiz amizades, não sou o único por trás disso, mas sou o que vai fazer o maior marco desta marcha nacional. Queimarei o prédio que representa toda a burocracia e a roubalheira do nosso sistema, os processos. Queimarei este lugar!

Seus braços foram abertos. Havia um orgulho nele, quero dizer, em mim. Uma felicidade que de alguma forma eu podia sentir. Não estava suportando aquela informação. Como? Eu era uma sombra. Eu era uma personalidade do odioso Jonas. Eu era o Jonas!

Meu coração que não existe acelerou com isso. Meu corpo que não existe tremulava. A respiração que não existia em mim estava ficando ofegante. O desespero me dominava. Estiquei a mão direita para ver a cicatriz que havia ali e ela estava lá; e também na mão do Jonas.

Éramos a mesma pessoa, mas como? Eu sou negro e o Jonas é branco, como eu ainda não tinha reparado isso? Eu não nasci, fui criado! A pedrada de Andressa me libertou. Eu era o lado comportado, racional e crítico, talvez, do Jonas. Enquanto ele ficou com a falta de compromisso e perversão dos direitos, fazendo tudo o que desejava sem sentir medo.

— Como isso? Como posso ser você se somos diferentes? Eu sou negro e você é branco!

— Meu subconsciente é afrodescendente! — Jonas olhou para o relógio de pulso e voltou a falar: — Está quase na hora do grande marco, são 17h47. Vamos fazer isso junto?

Eu estava destruído, sentado em minha cadeira. Desolado. Como eu não estava lidando bem com a situação e ele tão bem, a ponto de me tratar como se fosse alguém?

— Eu não entendo — soltei, ainda olhando para minha mão; a mão do Jonas. — Como você está aceitando isso, digo, você sabe que não existo e mesmo assim fala comigo.

Ele deu um pulinho ansioso até a janela mais próxima e avistou a marcha que já estava ocupando toda a avenida.

— É fácil. Você, na verdade, sou eu. Descobri que sofro de distúrbio de personalidade há algum tempo e um dos tratamentos era aceitar você, quero dizer, eu. Larguei os remédios, resolvi seguir assim, com este meu lado certinho, facilitando que nunca fosse descoberto.

— Como? — Não sabia o que mais perguntar.

— A pedrada da Andressa nos separou. Não sei como e nem o porquê, mas isso me ajudou bem mais do que as seções, terapias e remédios. Você, meu caro, foi o meu grande trunfo! E, agora... o ápice.

Jonas riscou um fósforo retirado de um dos bolsos, tão rápido que nada pude fazer. E o que poderia? Eu sou ele. O palito rodopiou, caiu sobre o líquido inflamável e, de imediato, fez correr uma serpente de fogo. As chamas lamberam os papéis e as cadeiras, mesas, caixas de arquivos e máquinas copiadoras.

O clarão do lugar vinha todo das chamas. Eu me afastei num pinote, arranhando-me e ferindo as mãos com as pernas de uma cadeira virada ao lado. Desconfiava que aquilo não me faria mal, apenas ao Jonas.

A fumaça iniciou e cobriu o teto baixo. Por algum motivo do qual eu já desconfio, os alarmes de incêndio não foram ativados. O resto da gasolina em minha mão chegou a incendiar e me queimar um pouco, mas logo apaguei.

— Eu pensei em tudo! — ele completou.

O meu momento de estagnação estava passando. Na verdade, precisava passar. As chamas cresciam de maneira que nem eu, ou Jonas, conseguiria apagar. Era irreversível. Não sabia o que fazer, ou pensar.

Corri para a porta das escadas que davam para o telhado. Subi alguns lances, os mesmos onde os casais mais acalorados transavam, e se pegavam. Subi em poucos passos largos e empurrei a porta de aço do terraço. Eu me virei e fechei a porta para não ser seguido. Aí você já sabe onde estou.

E estou aqui, agora, contando a minha história para você. Ou para o nada, já ficou tudo tão estranho.

Eu subi correndo para fazer a única coisa que acho que pode funcionar para impedir o Jonas. Como falei desde o início, eu não quero morrer. Não quero me matar, sim, acabar com tudo isso. Se eu sou o subconsciente ciente do Jonas, se eu me lançar daqui, eu acabo com esta loucura.

Ao menos, essa foi a melhor ideia que tive, pois quando Jonas e eu estávamos juntos, um dos dois não estava fisicamente. No elevador com o meu chefe. A piscada do Jonas para mim. Eu conversando com ele na tela do computador. O porteiro me deixando entrar depois da hora no prédio.

Nossa, que mente doentia é a minha!

Então, vamos nessa? As pessoas marchando lá embaixo. O tumulto iniciando, como planejado. Vou impedir parte desta loucura. Vou matar o Jonas, ou a mim.

CAPÍTULO XIV

A Marcha

Desde o início da minha história até aqui já rolaram alguns minutos, eu falei 160 vezes o nome Jonas. Eu estive focado em explicar como e por que estou aqui, à beira deste prédio alto, prestes a me lançar. Agora que todos entendem, eu não tenho muito que dizer. São quase 20h, e a multidão agora guerreia contra os policiais lá embaixo.

Eu estava pensando em quanto tempo vou levar para chegar até o chão. E que parte do chão vou acertar antes de cair sobre as pessoas. Tudo muito confuso, até mesmo para mim, um subconsciente consciente.

Que coisa horrível! Nem sei se isso existe.

Ao menos, sei que sou sozinho novamente. Meus amigos do curso — agora posso me lembrar muito bem —, são todos os meus bichos de pelúcia de quando era criança.

Rô, Val e Diego, eu vou sentir saudades de vocês! Ou da minha mente doentia.

Ficar de pé, preparar para saltar, enfrentar o destino trágico e cruel para mim. Uma coisa eu devo admitir, Jonas me surpreendeu. Mesmo o odiando, ele realmente me surpreendeu. Agora entendo por que sempre o odiei tanto. Ele era eu, uma parte de mim da qual me desgrudei, desliguei-me com certa rejeição.

Não, não é uma paixão que nutro por ele, como alguns podem estar pensando. Muito pelo contrário, eu o abomino tanto, mas tanto, que fomos desligados um do outro. Meu cansaço, meus sonos perpétuos, todos são explicados. É triste, mas em um mundo triste e melancólico como este, não posso esperar mais. As roupas de marca, o consumo, tudo aquilo que critico ao observar é, na verdade, uma crítica a mim mesmo.

Será que o que eu disse tem validade para alguma coisa? Será que sou um lado crítico sem o outro senso, igual a uma máquina, ou pode ser utilizada alguma parte de mim para algo bom? Eu não sou totalmente estranho, sou?

Acho que não, eu simplesmente não existo sozinho. E agora, prestes a saltar, com a porta fechada e as chamas lá embaixo, devo acabar com tudo isso.

Como um relógio programado, ouço as batidas na porta, o Jonas tentando entrar. Tenho de me apressar. Ele não é fraco e logo vai conseguir.

— O que pensa que está fazendo?

Ele grita da escada. Como ele está suportando a fumaça enegrecida que sai pelas frestas? Eu não sei, nem tenho tempo para saber.

— Vou saltar! Terminar tudo o que aconteceu e se der certo vou parar os planos do Jonas!

— Vamos lá, meu caro. Você não pode fazer isso — ele solta ainda, calmo.

— Posso e vou! — grito.

— Não, as chamas estão alastradas, teremos sorte se conseguirmos descer daqui. Não tem como me impedir, meu caro!

— É o que vamos descobrir! Tenho que tentar e você não vai me impedir.

— Você não vai. Pense um pouco, meu caro. Se é meu subconsciente ciente, quem você pensa que abriu a porta e a fechou?

O frio corre pela minha espinha até a nuca. Meu corpo congela. A sensação de alguém atrás de mim me acomete. Eu me viro e lá está Jonas!

— Onde você estiver eu estou, meu caro, por isso digo que não vai saltar.

Como eu não pensei nisso? A minha parte física tinha um dono que não era eu.

— Se somos a mesma pessoa, eu vou saltar assim mesmo!

No fim da minha frase, eu salto. Posso sentir o vento batendo em meu rosto. Meus olhos se fecham com a velocidade causando um borrão das janelas passando por mim. Segundos antes consigo ver as pessoas como pequenos cometas; talvez devido à velocidade com que me atirei.

O vento batendo em minha testa me impossibilita de respirar direito. Mesmo sabendo que não respiro, sou uma criação de uma mente doentia. É comprovadamente científico que, quando o vento bate em nossa testa, algum mecanismo em nosso sistema respiratório fecha. Ao menos é assim quando somos crianças.

Nossa, eu caindo e tendo tempo para falar disso!

Abro os olhos mais uma vez e vejo o parapeito do prédio ficando distante, meu fim se aproximando. Tomara que o plano dê certo. Não vou sozinho, na verdade, nem vou. Eu não existo de fato. Vou acabar com os planos do Jonas, com os meus planos. O chão se aproxima.

Vou atingir algumas pessoas, mas fazer o quê? Um dano colateral. Estou chegando e de fato chego.

Não sinto o meu corpo quebrado, se é que seria possível sentir. Abro os olhos lentamente e me deparo com Jonas, mais próximo que antes. Seu cigarro aceso e sua cara de deboche.

— Você é criação da minha imaginação. Não pode se matar e me matar junto!

Estou novamente no parapeito do prédio. Novamente perdido, aturdido, perplexo. Jonas passa por mim, indo ver a multidão.

— Olha, veja que coisa linda! As pessoas deixando de ser meros produtos de um sistema e partindo para a ação. As vacas rangendo! O início de tudo! Uma passagem de ônibus, o fim da corrupção. As pessoas sendo despertadas de seus sonos controladores.

— Isso é loucura!

— Não, não é meu caro. Isso é o cérebro, como poucos já viram! Veja o que um de nós fez sozinho. Imagine nós dois, juntos?

— Você está querendo...

— Querendo nos unir! — ele responde, eufórico. — Vamos movimentar o país! As pessoas! Eu sei que você concorda comigo, meu caro. Eu sei que as minhas realizações são suas ideias postas em prática! Não vamos perder isso!

Para a nossa surpresa, outra pessoa passa pela porta de ferro pesada, que nos trouxe até aqui. Andressa, com as mãos cobrindo a boca e os olhos, passa por ela, assustada. Ela me seguiu até o trabalho. Tola Andressa!

— Andressa! Afaste-se! Desça e peça ajuda! — grito.

— Não precisa. Se quiser, pode ficar e apreciar a visão de camarote — Jonas falou mansamente, sorrindo para mim.

Ela, como qualquer pessoa que estivesse de fora daquela loucura, ficou confusa. Recuperou-se da fumaça que havia inspirado e com um pouco de tosse falou:

— O que está acontecendo? Por que você está aqui?

— Andressa, saia daqui! Agora!

— O prédio está em chamas! Vamos descer juntos! — ela responde, recuperada.

— Não precisa. Fique aqui, venha apreciar o show.

— Eu não estou entendendo.

— Andressa, fuja daqui! Não me ouça! — grito, tentando entrar na frente do Jonas.

— Fique Andressa! Ainda tem muito que acontecer! — Jonas intervém novamente.

A menina-mulher está confusa. Mesmo com toda sua inteligência, ela não pode imaginar do que se tratava ali em cima. Não tenho o que fazer, apenas falar. Meu corpo é do Jonas na maior parte do tempo. Nem me jogar dali eu havia conseguido. O que eu poderia fazer?

— Chame os bombeiros, a polícia, e fuja daqui! — Tento mais uma vez.

— Não faça isso, vamos descer e ir embora daqui.

Jonas foi até ela. Andressa não soube o que fazer e segurou na mão estendida dele, que vai ao seu encontro. Ele a puxa para a porta novamente, levantam as blusas para próximo ao rosto e somem na fumaça.

— Não! — grito. Nada podia fazer.

Eles descem. As chamas estão cobrindo todo o andar. Ainda é pouco o espaço que podiam passar sem serem atingidos pelo calor das chamas. Eu corro logo atrás. Passo pelas escadas que mal dava para enxergar os degraus e me deparo com destroços e ferros retorcidos do sistema do ar-condicionado que nunca funcionou bem durante os dias trabalhados.

Olho para os lados e não os vejo de imediato. Chamas e fumaça. Quase não dá para respirar, até que me lembro de que não preciso fazer isso. Paro a respiração e vou encontrá-los. Alguns passos adiante, eu os encontro no caminho para a escada central de fuga de emergência. A única coisa que passa na minha cabeça é impedir o Jonas, pará-lo.

Com o quê? E então me lanço em suas costas.

Eu o atinjo, fazendo-o cair. Ele solta a mão de Andressa que se vira, assustada, certamente pensando que ele tivesse tropeçado. Eu, em cima de suas costas, comecei a me debater. Ele se ergue e tenta me tacar na parede com a força do seu corpo.

— O que está fazendo? — ele pergunta, fazendo esforço.

— Você não vai sair daqui! Ficaremos juntos! — respondo, apertando seu pescoço até ser arremessado no chão.

— Nada vai me parar! — esbraveja.

Andressa se coloca de pé depois de cair também e fica nos olhando de um ponto, de onde a fumaça não chegava e nem o calor.

— O que você está fazendo? — ela pergunta.

— Andressa, vou parar o Jonas. Sou eu, o rapaz que você conversou durante horas no Café. Não sou o Jonas que você conhecia! — tento explicar da maneira mais simples possível, em meio à luta que está acontecendo.

— O que você está fazendo, meu caro? Vai contar para o amor da sua vida que você é um subconsciente enxerido? — Jonas grita para mim.

— Vou tentar! — Avanço contra ele e o acerto com um soco no rosto.

Jonas vai para o lado, meio atordoado, e desfere um golpe em mim. Não sou tão habilidoso quanto ele e sou atingido no olho direito. Os socos e cabeçadas continuam por alguns segundos até que, agarrados um no outro, caímos por cima de uma mesa larga e queimada.

Eu o acerto com o pedaço da cadeira em chamas, ele se defende e bate sua testa no meu rosto.

Eu não tinha parado para pensar, mas se a luta é medonha e estranha para mim e o Jonas, imagine para a Andressa que só via um de cada vez? Para ela, era a cena da luta de um homem só contra ele mesmo. Estava se apavorando, mas estava ajudando de alguma forma, já que com isso ela acreditava no que eu havia gritado antes.

— Vamos lá, meu caro! Use a força guardada em você! Ou será que ficou toda em mim? — Ele me dá um soco na barriga.

Atingido e quase caindo, eu o acerto na face esquerda. Andressa tenta se afastar de nós, e das chamas que se alastravam pelo teto. Ela grita para a gente parar, ou só um dos dois. Mas, como em uma briga de verdade, estamos cegos de raiva.

As divisórias entre as salas estão queimando e fracas. Quando tento me apoiar em uma delas, eu a atravesso como papel e caio dentro de outra sala. Jonas corre em minha direção, saindo no meio das chamas e chuta meu rosto.

— Nenhum médico! — Um chute. — Conseguiu acabar com você definitivamente! — Outro chute, fazendo-me rolar para dentro da sala. — Mas hoje, eu vou me curar de você!

O terceiro chute me atingiria em cheio se partes do teto não desabassem e chamassem a atenção de nós dois ao mesmo tempo. Eu rolo e escapo pela porta que ainda queima.

— Andressa! Saia daqui! Tudo vai desabar! — eu grito.

Ela sai de trás de uma mesa enfumaçada, com lágrimas nos olhos.

— Eu não vou deixar você aqui! — responde, só não sei se é para mim.

— Ótimo! Os dois serão consumidos pelo fogo, juntos!

Jonas vai até a porta que dá para a escada e a fecha, empurrando um grande armário em cima dela. Ficamos impedidos de passar.

Tenho certeza de que ele sabe outra forma de sair daqui, mas eu não. Este era o problema para Andressa, que me olhava de longe, e para mim.

CAPÍTULO XV

Em Chamas

O fogo já toma quase todo o local. O calor, diferente do que acreditamos quando vemos uma cena assim nos filmes, é insuportável. É complicado pensar, pois a pele arde, os olhos lacrimejam o tempo todo. Todos os sentidos trabalham para que você não sucumba àquilo tudo.

Andressa, a todo instante protege os olhos e a pele com parte de sua blusa. O Jonas está mais à vontade, respirando em lugares com menos fumaça. As janelas, quebradas pela nossa luta medonha, facilitam o vento a entrar e aumentar o fogo ao mesmo tempo em que ele leva a fumaça.

A porta agora está emperrada. Vou morrer. Mas eu não existo de fato, então quem mais pode sentir a dor da morte é Andressa, não deve ser assim; a menina que o idiota do Jonas, eu mesmo, mais uma vez faria vítima de suas burrices e convicções maldosas.

Eu tenho de fazer alguma coisa. Mas, o que fazer quando não existe? Nem me atirar do alto do prédio foi páreo para pará-lo. O que fazer? Pense meu amigo, pense. Algumas vezes eu agia, sim, fazia coisas! De que forma eu falava com os outros não sendo o Jonas? Como?

Enquanto me esforço para me lembrar, descubro um jeito de pará-lo enquanto o Jonas está se vangloriando. Segurando uma barra de ferro, ele quebra o que ainda se mantém de pé sobre as mesas e nas paredes. Uma barra de ferro. Sua arma. O tacape da nossa geração.

Espere! Se ela está na mão do Jonas, quer dizer que está...

Eu me vejo de pé segurando a barra de ferro. Arregalo meus olhos. Posso pegar e mover as coisas. Agora, assumo completamente o corpo, e Jonas fica em minha visão somente como uma ilusão.

— Eu não vou deixar você fazer o que quer, Jonas!

Corro para a porta e faço uma alavanca, retirando o que a prendia.

— Corra Andressa! Vai!

Ela me olha com aqueles olhos castanho-escuros, suplicantes, dizendo que não vai me deixar.

— Corre agora! — Eu grito com a força que estou fazendo.

— Não faça isso! — Jonas grita à minha frente; só pode gritar neste momento, sem um corpo físico.

A porta se abre e Andressa corre.

Jonas parece já ter aprendido o que fazer e estica o braço para o fogo mais próximo. O nosso braço. Eu urro de dor.

— Veja o que está fazendo! — ele grita, também com a queimadura surgindo em seu braço.

— Você não vai matar ninguém! — grito e giro a barra de ferro.

— Seu idiota! O que pensa que vai fazer?

Desta vez eu jogo meu braço no fogo. Nós urramos de dor. A barra de ferro está aquecendo e a nossa pele sente cada grau de calor.

— Eu vou parar você!

As ideias passavam por minha cabeça.

— Você não pode! Tudo já está em movimento. O início é apenas o início. Muito ainda virá! Você não pode parar um movimento, uma ideia tão grandiosa! — ele diz, vindo em minha direção.

— Acho que já faço uma ideia de como parar você.

— Não! — Ele percebe o que pensei. — Você não pode fazer isso!

— O que foi? Não está disposto a se sacrificar por sua ideia? O que foi, Jonas? Está com medo?

Ergo o ferro bem alto. A mira é um pouco abaixo do meu abdômen. O dele, o nosso. Antes que pudesse concluir minha intenção ele é mais rápido e lança o braço nas chamas, a dor é tamanha que solto a barra de ferro, caindo no meio do fogo.

O grito é alto e profundo. Vejo minha pele borbulhar com o calor. Vejo nossa pele queimar. O cheiro dos papéis, da borracha e do material de plástico de todo o salão se mistura ao cheiro estranho da nossa carne. É impressionante como, mesmo sendo feitos 70% de água, queimamos tão rápido quanto um isopor, uma caixa de coisas secas. No microssegundo em que as bolhas se formaram, eu pude notar isso.

Estou sendo racional até mesmo quando ardo no meu inferno particular. Sem ajuda. Sem bombeiros que agora levariam bem mais do que trinta minutos para chegarem, levariam horas. A multidão lá fora já grita e as explosões de bombas de efeito moral estão mais próximas que antes.

Talvez alguém tivesse notado as chamas e já tivesse chamado os bombeiros, quando eu ainda estava no terraço. É o que desejo.

No entanto, o que encontrarão aqui? Eu lutando contra mim mesmo. Serei preso. As digitais do Jonas são minhas. Eu trouxe a gasolina, eu chantageei meu chefe, eu roubei as roupas de marcas. Andressa está apaixonada novamente pelo Jonas, não por mim, pensando ser o Jonas.

Meu caso é o mais complicado que você já ouviu, pode falar. Eu sou eu e não sou quem fez tudo de errado, e agora estou tentando me salvar de mim mesmo que me quer morto. Deu para entender?

Coloco-me de pé, meu braço direito ainda fumegando com o cheiro de carne em chamas. O churrasco de mim. Fico de pé e olho para a saída. Ainda há uma chance. Mas me salvar será o mesmo que salvar Jonas.

— Você vai fugir? Corra, meu caro! Vá embora! Se fortaleça para me enfrentar outro dia — soou mais como alívio do que desdém.

Dou alguns passos em direção à porta. Cambaleantes, mas certeiros.

— Espere!

Fico imóvel frente à passagem livre para mim. Jonas me encara, assustando-se. O alívio formado em seu semblante havia sumido.

— Se eu me for, você terá ido. Você quer me usar para se salvar!

— Salvar a nós dois, idiota. Para um novo dia! Uma nova oportunidade.

Minha mente começa a trabalhar. Sei que Jonas pode perceber o que passa por minha cabeça, pois é nossa cabeça. Continuo indo para a porta.

— Isso! Nós nos veremos em breve, meu caro! Em breve!

Não desejo isso. Pego a barra de ferro quente e a pele das minhas mãos grudam nela. Jonas, igual a mim, grita. Jogo contra a porta, fazendo uma alavanca e a fechando quase que por completo.

Jonas se ergue gritando e vem em minha direção. Não tenho como me defender. Ele me atinge nas costas.

— Agora, você vai ficar aqui! — Ele vocifera me agredindo de todas as formas possíveis. Variedades de socos e chutes. — Vai morrer! Já estou farto do seu controle, sua razão!

Eu me desvencilho dele em minhas costas e tombo para o lado. Desfiro um soco, mas este passa ligeiro em sua orelha. Ele se distancia um pouco, retira um cigarro do bolso e usa as chamas para acendê-lo.

— Sabe, meu caro — inicia com os dentes prendendo o cigarro —, até curtia este meu lado controlado, focado, que me colocava às vezes no prumo. Coisa que eu não faço sozinho. Mas acho que você é nada mais nada menos do que o lado que tem inveja de mim. Aquele que não sabe fazer nada e fica desejando ser o outro. O irmão gêmeo que morre de inveja, Caim! — Sorri. — Viu? Também posso fazer analogias inteligentes.

— Eu, um dia, posso até ter desejado ser uma parte de você. — Respiro com dificuldade com a fumaça. — Mas você não passa de um subproduto. Um erro formado através dos tempos.

Eu rio. Rio de uma maneira como nunca fiz antes. Por um momento, pareço-me com o Jonas.

Novamente me coloco de pé, frente a frente com ele, com as chamas e os destroços do lugar onde passava horas do meu tempo. As mesas dos colegas queimando. A sala do meu chefe sendo devorada pelas chamas. Todo o local está prestes a ruir com as estruturas sendo corroídas pelas labaredas formadas no rebaixamento do teto, da tinta velha das paredes e das divisórias de madeira.

— É isso mesmo o que está pedindo? — Jonas questiona, incrédulo.

— Não. É isso o que você vai ter.

Corro ao seu encontro. Nós nos atracamos entre socos e chutes. Tudo ao nosso redor serve como arma. O telefone parcialmente derretido de uma das mesas acerta uma orelha.

Madeiras, pedaços do que foi um dia decoração, partes de aço das cadeiras giratórias. Tudo serve. Não há mais tempo para discursos, falas, nem arrogância.

Nossa batalha é nossa, só nossa.

O fogo se alastrava rapidamente pelos lados. Os vidros das janelas começam a estourar com o calor que faz. A chuva de vidros sobe e a fumaça nos cobre. De olhos fechados, lançamos nossos golpes. Enquanto ainda estamos de pé, parte do teto do corredor que leva à escada do terraço, onde estávamos minutos atrás, inicia sua queda. Nem mesmo o estrondo do teto vindo ao chão nos faz parar. Nossa raiva é maior.

— Você vai voltar para onde jamais deveria ter saído! À minha cabeça! — grita Jonas.

Um enorme pedaço de madeira me acerta nas pernas, levando-me ao chão. A dor, por mais que seja irreal, nem minha de fato, é grande.

— Você saiu de uma pedrada! E vai desaparecer com madeirada! Está pronto?

O seu cigarro já havia caído enquanto lutamos. Ele não pensa em acender outro. Apenas ergue a madeira e mira em minha cabeça. Não posso fazer mais nada, estou entregue à minha sorte. Lutei, lutei e tentei.

Penso mais do que quando estava prestes a me atirar.

Minha vida que não existe passa por mim, mas, mais como despedida de um julgamento, avaliação dos meus atos. Rostos que não existiram, coisas que não haviam acontecido de fato. Exceto Andressa. A menina-mulher dos meus sonhos é real.

Tão real que a crio aqui, no meio daquelas chamas, surgindo não sei de onde com um pedaço de não sei o quê e acertando a parte de trás da cabeça do Jonas. Minha cabeça. Tudo escurece. Eu sumo.

CAPÍTULO XVI

O Que Sobrou

As roupas dos homens do corpo de bombeiros são feitas de um material que protege parcialmente do calor emitido das chamas. Muitas vezes a proteção ocorre de forma completa. Ao menos, foi assim quando o primeiro adentrou o salão do meu emprego e abraçou Andressa, retirando-a do local. Ela lutou para se largar, mandando tirar meu corpo do chão. O que foi feito por outro bombeiro junto com mais dois que lançavam água para apagar o incêndio ao nosso redor.

Uma máscara foi posta em meu rosto, outra no dela. A fumaça que respiramos estava fazendo mal aos nossos pulmões. Os olhos ardiam e lacrimejavam. A pele era coberta por pó escuro.

Quando levaram meu corpo para fora dali, descendo as escadas, pude ver as pessoas em volta, no cordão de isolamento feito pelos carros de polícia e caminhões de bombeiros. O tumulto estava longe dali, as pessoas eram as que se perderam da marcha que, àquela hora, tinha se tornado um palco de batalha.

Andressa estava sentada na parte de trás de uma ambulância dos bombeiros. Fui levado para outra, com paramédicos à minha espera. Estava perdendo a consciência. E perdi de fato.

No dia 21 de junho de 2013, as notícias sobre a marcha e sobre a insatisfação com a situação em nosso país, reverberaram nos principais noticiários do Brasil e do mundo. Muitos atribuíram ao povo nas ruas, o valor da passagem do transporte público no Rio, mas a população marchou também em outras partes do país. Não era somente isso, o valor tinha sido apenas um estopim para o que já desejavam há muito tempo.

Sabe aquele sentimento que você não sabe descrever, nomear? E não estou falando somente daquela paixão momentânea que temos por outra pessoa, pois este sentimento pode nascer de forma negativa também. Aquele sentimento que temos de fazer justiça com as próprias mãos. De ficar contente quando vemos alguém público falando o que sempre pensamos, mas nunca tivemos a oportunidade, ou público, para dizer.

Os jornais se contradisseram ao estimar a quantidade de pessoas que tomaram as ruas do centro do Rio. Alguns tendenciosos disseram serem pouco mais de 200 mil pessoas, outros igualavam aos dias em que saía o Bloco do Cordão do Bola Preta. Na real, foram muitas, mas muitas pessoas mesmo. Um marco tão grande, tão imponente, que muitos acreditaram fielmente, como o Jonas acreditava, que o Brasil dessa vez se ergueria para lutar. Eu não acreditava desta forma, mas muitos, sim.

Sabe, o Brasil historicamente tem os maiores momentos da história feito com a exclusão das massas. O Grito do Ipiranga, a Proclamação da República, as Diretas Já, que no ano seguinte às eleições continuaram sendo indiretas. O próprio fim da ditadura, que teve como presidente um dos líderes do partido que regia o poder no período militar é um exemplo.

Eu não tenho tanta fé assim.

O prédio não veio abaixo. E não foi o segurança que chamou os bombeiros, pois ele estava sem celular e ficou com medo de ir buscar ajuda com a multidão nas ruas. Nosso andar todo foi perdido e o prédio interditado. Centenas de processos e causas foram queimados. O que, de certa forma, ajudou várias famílias que receberam indenizações.

Ele acertou em parte. A burocracia tinha tomado um soco no estômago. Os prédios ao lado tiveram que passar por inspeção, pois o calor poderia ter abalado a estrutura alheia. As chamas fizeram seu estrago particular, mesmo que os noticiários focassem somente as pessoas nas ruas. Ninguém noticiou como algo relacionado, apenas mais um prédio velho do centro que pegou fogo por "causas naturais", isto é, pane elétrica na fiação do ar-condicionado.

A polícia atribuiu de início, ao curto localizado pelos bombeiros. No entanto, a gasolina também foi detectada, mudando a investigação. Como naquela mesma noite haviam sido presas pessoas mascaradas com coquetel molotov, e sem provas para a condenação, alguns policiais bem astutos fizeram delas as provas. Eu estava sendo livrado das acusações. Como também não tinha mais nenhuma digital, eu não estava ligado ao fato de ter levado todo o material inflamável para o local.

Nem mesmo meu chefe me colocou em uma situação perigosa, já que a perda de meses, talvez de anos, de trabalho o beneficiou também. Afinal de contas, todos nós tivemos boas férias. E como ele poderia explicar a autorização dada a mim para ficar depois do horário? Ele tinha o rabo preso. E todas estas circunstâncias facilitaram a situação de forma que, nem o Jonas nem eu, poderíamos ter planejado tão perfeitamente. Ao menos, acho eu.

Meus olhos se abriram. Com um pouco de dificuldade, já que a luz do hospital é forte demais. Odeio hospitais! São claros e gelados. Uma frieza que só existe entre deuses e homens. Talvez seja isso, o ser humano com o poder de Deus ali, precise disso. Meus braços estão presos por seringas, soros e medicamentos entrando em minha veia.

Para que eu calasse o bico por completo, fui posto em um hospital público, mas com mais atenção que a maioria ali.

Praticamente, estou em um quarto sozinho. Há outros leitos, mas eles estão arrumados e sem ninguém. Movi minha mão levemente, quando eu senti a palma sendo preenchida por dedos pequenos e quentes. Andressa, com alguns arranhões e queimaduras, está ao meu lado não sei por quanto tempo.

Eu ainda não consegui falar. O meu corpo está cansado e, para falar a verdade, eu nem sei quem está despertando. Minha visão gira e eu apago novamente.

O estranho de ter desmaiado pela segunda vez é que continuo consciente do que acontece ao meu redor. De quando a menina-mulher chama um enfermeiro para dizer o que aconteceu. Do quanto ele não liga para isso e volta a papear ao celular. E de como falavam dos acontecimentos.

Tudo estava saindo como o Jonas falou. A notícia, o medo das pessoas e o sentimento de realização de muitos que puderam participar, e dos outros que ficaram com gostinho de poder participar.

Soube que alguns mais exaltados tentaram tomar a Câmara Municipal, os "homens vinagre". Eles ficaram sendo chamados assim por levarem garrafa de vinagre em suas bolsas, contra o gás lacrimogêneo lançado pelos policiais. Eu sei que depois disso, andar com vinagre pelas ruas do centro já não era muito bem-visto pelos policiais.

A mudança iniciou no Brasil, não no mundo. Mas, fomos vistos. O gigante cantado em nosso Hino Nacional, finalmente mexeu uns dedos dos pés, o que deixou alguns políticos safados e canalhas com certo medinho. As famílias de coronéis pelo interior do Brasil, os políticos do Rio de Janeiro — com suas milícias e falcatruas com empresários — ficaram com um pontinho de medo.

Isso, confesso que foi bom. O Jonas, maldito seja eu mesmo! Ele fez algumas coisas com isso que deu gosto.

Se vocês me perguntassem o que achei dele, de mim mesmo. Bem, eu não saberia o que falar.

Continuo odiando-o. Ele é uma parte de mim que todos nós temos. Um lado sombrio e ao mesmo tempo corajoso. Um lado despojado e ao mesmo tempo ousado demais. Ele é aquele lado que, na praia, vai o mais longe possível no mar, enfrentando as ondas e deixando de lado o fato de não saber nadar. É a causa de acidentes, no entanto, é a coragem para fazer ambos os lados das coisas; o ruim e o bom.

Nunca fui assim, sempre pensei muito, racionalizei muito. Acho que eu me tornei tudo o que Jonas precisava, não restando nada para ele, nem do que ele tinha para mim. Ficamos separados, quando tínhamos de ser um só. A pedrada nos apartou, ou foi o marco, entretanto, acredito que a nossa cisão estava predestinada com o passar do tempo. Não estávamos dando certo.

Os frutos de tudo o que foi feito ficaram. Como já disse, não creio que dará em alguma coisa muito grande, mas pelo menos mostrou que, quando alguns se sacrificam pela mudança, algo acontece. Nos dias de hoje, encontrar um mártir é cada vez mais difícil. Ninguém quer tanto. Criticar, sim, sacrificar a vidinha tosca com o salário ridículo e os produtos que compraram com suadas dezoito prestações nos carnês, não.

Não temos um histórico muito bom para mudanças, mas fizemos algo.

Essa foi a Revolução da Internet, onde não vencemos, mas mostramos que estamos dispostos. Onde as mentiras compartilhadas pelas redes sociais e o envolvimento das pessoas falsamente politizadas — ou indo contra os manifestos —, de uma forma ou outra ajudaram muito na propagação do evento.

Do evento que o Jonas fazia parte, uma das várias cabeças que continuaram e que certamente vão continuar. Dos envolvidos que um dia se erguerão em nome de um partido e tirarão proveito. Das bandeiras de partidos que foram erguidas para a mais chula divulgação da falsa insatisfação. Do veneno que foi posto. Espero que este veneno tenha sido injetado nas veias certas, para que com isso faça o efeito desejado. Pois o futuro, eu não sei. Sou um cara que nem passado eu tive. E neste exato momento, não tenho presente. Eu não existo.

Meu corpo foi abrindo os olhos novamente. As agulhas continuavam em meus braços com o soro pingando ao lado. A ala onde estou tem pouca luz. Já é noite. Meus olhos se abrem perfeitamente com algumas piscadas e posso reparar na menina dormindo com sua cabeça em cima do meu leito. Ergo minha mão cheia de bandagem pelas queimaduras por cima de seus cabelos e a acaricio de leve. Ela desperta.

— Você acordou — diz com aqueles olhos castanho-escuros por trás da lente, cheios de marcas de borrões da minha coberta e das lágrimas.

Estou com sede. Minha boca parece carregar tudo o que foi queimado horas antes. Ou dias? Não sei. Nem ao menos sei quem sou.

— Você quer alguma coisa? Está sentindo alguma coisa?

Ela continua a perguntar com sua voz doce. Nunca tinha reparado o quanto a voz dela é doce. Sua pele branca como o papel. Nossa, as unhas das mãos são corroídas. Ela é ansiosa. Rói as unhas, igual a mim.

— Estou bem! — meu corpo solta.

Não sei se é verdade, mas ela acata.

Andressa é uma jovem inteligente e assistiu a coisa mais perturbadora que alguém poderia presenciar; a luta de dois em um só corpo. Mas, havia entendido bem do que se tratava. Sua sensibilidade é extrema. Meu corpo ama Andressa, minha artista linda e inteligente. Tão inteligente que largou de mim, Jonas, e se apaixonou por mim, Renato.

— Eu... — tento falar.

Ela chora e me abraça em cima da cama, jogando seu corpo contra o meu. Foi dolorido, mas gostei.

— Não precisa falar nada. Eu entendi tudo. Você estava sofrendo com dupla personalidade. — Ela entendeu de fato. — Você deve ter sofrido durante todo esse tempo! Meu amor...

Meu corpo poderia chorar e assim faz.

Ainda não sei quem sou. Abraço-a da melhor forma que posso. Sentir seu calor é extremamente necessário. Seu corpo magro sobre o meu. Sua pele. Como quero possuí-la aqui mesmo! Porém, eu sofreria com as queimaduras que ganhei. Meu desejo tem de ser contido.

— O importante é que você está bem e tudo acabou. Estou aqui com você — ela fala, aconchegando-me em seu amor.

Ficamos nos acariciando durante um tempo, sem trocar uma palavra. Meu poder de observação pode perceber que ela está ansiosa, inquieta, e desconfio qual é a razão.

— O que quer saber? — indago, sem muita dificuldade.

Andressa me olha carinhosamente e, com seus olhos brilhantes, treme os lábios antes que o som saia por eles. Segura minha mão, o mais cuidadosa possível, e pergunta:

— Com quem estou falando agora?

Minha cabeça se inclina para o lado, em sua direção. Minha mão queimada fica sobre a dela e, respirando fundo, respondo:

— Sou eu, o Renato.

E meu corpo pisca um dos olhos para ela.

AGRADECIMENTOS

Primeiramente ao ser Criador de tudo, seja Ele o que for.

Às histórias narradas pela minha mãe quando criança.

Ao meu pai e sua criatividade em contar histórias.

Ao meu filho, Lucas Bondoso, que me possibilitou momentos de pleno silêncio.

À minha esposa, Gisele Campos, que esteve ao meu lado apoiando e me auxiliando em cada dúvida que tinha.

Ao escritor Sidney Santborg, um grande amigo literário.

Ao amigo e também escritor, Maurício Gomyde, que leu e enalteceu o livro com tão belas palavras.

A Monte Alto, em Arraial do Cabo, que em sua paz me possibilitou escrever como um louco.

E nenhum agradecimento ao JONAS, pois EU ODEIO O JONAS.

www.lereditorial.com

@lereditorial